H.-P. Schwarz (Hrsg.) · Europa im Umbruch

Studium Universale

Schriftenreihe der Universität Bonn
Herausgegeben im Auftrag des Rektors
von der Senatskommission für das Studium Universale
Geschäftsführer: Prof. Dr. W. Lenders

Band 19

Europa im Umbruch

Elf Botschafter über die innen- und außenpolitischen Perspektiven ihrer Länder

Herausgegeben von

Hans-Peter Schwarz

unter Mitarbeit von Carsten Giersch

Mit Beiträgen von:

Radu Comșa (Rumänien)
Gábor Erdödy (Ungarn)
Marcello Guidi (Italien)
Kai Helenius (Finnland)
Tiit Matsulevits (Estland)
Pádraig Murphy (Irland)
Onur Öymen (Türkei)
Fernando Perpiñá-Robert (Spanien)
António Pinto da França (Portugal)
Stoyan Stalev (Bulgarien)
Alexandre Zafiriou (Griechenland)

1992

BOUVIER VERLAG · BONN BERLIN

Die Deutsche Bibliothek – CIP-Einheitsaufnahme

Europa im Umbruch: elf Botschafter über die innen- und außenpolitischen Perspektiven ihrer Länder / Hans-Peter Schwarz. Radu Comşa ... – Bonn ; Berlin : Bouvier, 1992
(Studium universale; Bd. 19)
ISBN 3-416-02438-9
NE: Schwarz, Hans-Peter [Hrsg.]; Comşa Radu; GT

Druck und Einband: Druckerei Plump KG, Rheinbreitbach.

INHALTSVERZEICHNIS

Europa im Umbruch: eine Tour d'horizon

Mit dem Band "Europa im Umbruch" wird der zweite Teil einer Vortragsreihe mit europäischen Botschaftern veröffentlicht, die das Seminar für Politische Wissenschaft im Rahmen des Studium Universale der Rheinischen Friedrich-Wilhelms-Universität Bonn 1991 und 1992 veranstaltet hat. In der ersten Publikation "Zwölf Nachbarn - ein Europa" (Frühjahr 1992 im Bouvier Verlag erschienen) entwickelten die Vertreter der an die Bundesrepublik grenzenden Länder ihre Sicht des vereinten Deutschland und der europäischen Zukunft. Im Wintersemester 1991/1992 waren zum Aktuellen Colloquium Botschafter aus Ländern geladen worden, die im Mittelmeerraum und auf dem Balkan, im Ostseeraum und am Atlantik liegen.

Die Diplomaten schilderten in ihren Vorträgen die innen- und außenpolitischen Aussichten ihrer Länder. Sie taten dies angesichts der allenthalben schwierigen Probleme und Interessendivergenzen bemerkenswert freimütig, so daß insgesamt ein authentisches Bild von "Europa im Umbruch" entstand. So groß die räumliche Distanz zwischen Helsinki und Lissabon, Dublin und Ankara ist, so unterschiedlich waren die politischen Perspektiven und so schwer erschien das Gewicht der Herausforderungen unserer Zeit. Sämtliche großen Themen der europäischen Politik kamen zur Sprache. Eine wichtige Rolle haben dabei die Auswirkungen des Maastrichter Gipfeltreffens der Staats- und Regierungschefs der Europäischen Gemeinschaft gespielt.

Alle Botschafter schildern wirtschaftliche Strukturprobleme ihrer Länder. Die osteuropäischen Reformstaaten müssen erst die Trümmer der Planwirtschaft beiseite räumen und stehen vor den schweren Aufgaben umfassender Demonopolisierung, Liberalisierung und Privatisierung. Ungarn hatte auf dem Weg zur Marktwirtschaft noch die besten Startbedingungen und weist heute die günstigste Entwicklung auf. Auch in Bulgarien kann auf Rudimenten unternehmerischen Geistes aufgebaut werden, weil der Privatbesitz an Immobilien und Grundstücken von den Kommunisten nicht vollständig aufgehoben worden war. Die größten Schwierigkeiten stellen sich in Rumänien, wo Ceauşescu eine regelrechte "Familienwirtschaft" betrieben haben soll. Für die ehemalige sowjetische Teilrepublik Estland, schwer belastet von den Nachwirkungen der kolonialen Moskauer Planwirtschaft, steht die Einführung einer eigenen Währung im Vordergrund. Finnland richtet zwar einige Erwartungen an den künftigen Handel mit den baltischen Staaten und Rußland, muß jedoch zunächst nach dem Zusammenbruch des Ostmarktes Krisenerscheinungen der eigenen Volkswirtschaft bewältigen.

Die Türkei setzt ihren in den achtziger Jahren eingeschlagenen marktwirtschaflichen Kurs fort und kann trotz des zeitweisen Stillstands in den Beziehungen zur Europäische Gemeinschaft auf relativ günstige Wirtschaftsdaten verweisen. Die südeuropäischen EG-Staaten und Irland sind nach den Beschlüssen von Maastricht gehalten, sich auf die Wirtschafts- und Währungsunion vorzubereiten und müssen dazu Stabilisierungsmaßnahmen und Strukturreformen durchführen. Unterschiedlich wird die Rolle der EG-Sozial- und -Regionalpolitik beurteilt, die helfen soll, die Konvergenz der Wirtschaften bis zur zweiten Hälfte der neunziger Jahre herbeizuführen. Vor diesem Hintergrund und im Hinblick auf den Umbau in Osteuropa, sind die Ausführungen zum wirtschaftlichen Anpassungsprogramm des ehemaligen Schwellenlandes Portugal, das erst 1986 der EG beigetreten ist, besonders interessant.

Auch bei der Diskussion über den Vorrang von Vertiefung oder Erweiterung der Europäischen Gemeinschaft setzten die Botschafter jeweils andere Akzente. Portugal plädiert ausgehend von einem Konzept des "Europas der Völker" für Offenheit im Sinne eines neuen "Paneuropäismus" und legte dafür eine größere Zurückhaltung bei der Parlamentarisierung der EG und einer Vergemeinschaftung von Außen- und Sicherheitspolitik an den Tag. Irland ist bei der Weiterentwicklung der Institutionen und Aufgabenbereiche ebenso auf seine Souveränität bedacht, zeigt sich aber auch bei der Frage neuer Mitglieder vorwiegend gegenüber den EFTA-Staaten aufgeschlossen. Italien, das traditionell einer föderalistischen Konzeption für die Gemeinschaft anhängt, glaubt hingegen, daß eine stärker integrierte Gemeinschaft besser zur Unterstützung der osteuropäischen Reformstaaten in der Lage sei. Dies ist im Grunde auch die Haltung Griechenlands, während Spanien zwischen Vertiefung und Erweiterung offenbar keinen Widerspruch sieht.

Die politische Wirklichkeit hat allerdings in dieser Frage vorläufige Fakten geschaffen. Finnland, als EFTA-Mitglied bereits Signatarstaat des Vertrags über den Europäischen Wirtschaftsraum (EWR), hat die Aufnahme in die EG beantragt, allerdings werden die offiziellen Beitrittsverhandlungen erst nach der Ratifikation des Maastrichter Vertrages beginnen. Mit Polen, der in Auflösung begriffenen CSFR und Ungarn hat die EG die sogenannten Europa-Verträge abgeschlossen, und Bulgarien und Rumänien sehen ebenfalls Assoziierungsabkommen entgegen.

Die um Vollmitgliedschaft nachsuchende assoziierte Türkei stellt einen Sonderfall dar. Auch nach dem erklärten Kurswechsel der neuen Regierung Demirel zum Schutz der Menschenrechte, der bürgerlichen und ethnischen Freiheiten kommt zu den Hindernissen, welche die Kurdenfrage der politischen Liberalisierung in den Weg stellt, unverändert Griechenlands Einspruch wegen der ungelösten Zypernfrage hinzu. Zu Recht verweist der türkische Botschafter andererseits auf die Brücken- und Modellfunktion seines Landes für die islamischen Länder und die heute selbständigen Republiken der früheren südlichen Sowjetunion.

Die europäische Architektur wird aus einem Konglomerat von Organisationen gebildet. Die wichtigsten Stützen sind neben der EG die NATO und die KSZE. Letztere ist im Zuge der Einbindung der osteuropäischen Staaten in einen Reformprozeß eingetreten. Die sicherheitspolitische Handlungsfähigkeit von EG und KSZE ist jedoch bei weitem noch nicht überzeugend, wie das Kriegsdesaster auf dem Gebiet des ehemaligen Jugoslawien deutlich werden ließ. Welche Aufgaben die WEU einmal wahrnehmen soll und in welchem Verhältnis sie dabei zur NATO stehen könnte, wurde auch unter den Missionschefs recht unterschiedlich beurteilt.

Zugleich müssen die Räume Europas, in denen gegenwärtig ein gewisses Machtvakuum herrscht, durch verschiedenste Formen der regionalen Zusammenarbeit stabilisiert werden. Spaniens Botschafter beschreibt das erhebliche Konfliktpotential, das sich durch das Gefälle zwischen dem nördlichen und südlichen Mittelmeerraum angestaut hat, und regt nach dem Vorbild der KSZE eine KSZM an. Finnlands Botschafter bringt eine "neue Hanse" ins Spiel. Mehrfach wird die "Hexagonale" angeführt, die, wie der italienische Botschafter erklärt, nach dem Zerfall Jugoslawiens in "Initiative Mitteleuropa" umbenannt wurde und die Zusammenarbeit im Donau-Adria-Raum koordinieren soll. Daneben haben auch Polen, die CSFR und Ungarn eine Kooperation durch die "Erklärung von Krakau" eingeleitet.

Auf dem Balkan kann nur ein dichtes Netz von Nachbarschaftsverträgen die zahlreichen Spannungsursachen auffangen, namentlich die Nationalitätenfrage. Die bei der Vortragsreihe vertretenen Staaten stehen sichtlich unter dem Eindruck des von Serbien angezettelten Kriegs gegen seine früheren Brudervölker und berichten über den Stand der Bemühungen zum Schutz der Minderheiten in ihrem Land: der Deutschen und Ungarn in Rumänien, der Türken in Bulgarien. Der Botschafter Estlands macht dagegen geltend, daß die Russen, die nach der sowjetischen Annexion der Baltenrepubliken 1940 ins Land gekommen sind, sich als Einwanderer erst für die Staatsbürgerschaft qualifizieren müßten.

Beachtlich ist, welch unterschiedlichen Verlauf die politische Entwicklung in den einzelnen Reformstaaten bisher genommen hat, abhängig von dem Maße, in dem sie von demokratischen Traditionen ausgehen konnte. Eine verfassungsmäßig gesicherte, funktionsfähige Regierungsform und eine möglichst rasche Ausformung des Parteiensystems sind unerläßlich, um die drängenden Modernisierungsaufgaben mit beschlußfähigen Mehrheiten angehen zu können. In Ungarn ist die Demokratisierung am weitesten fortgeschritten, im bereits wahlerfahrenen Bulgarien hat die bürgerliche Opposition die ehemals kommunistischen Sozialisten ebenfalls abgelöst und regiert nun mit Hilfe der türkischen Minderheitspartei. Auch wenn die Wahlen in Rumänien vielleicht nicht erwartungsgemäß ausgefallen sind, so wurden doch im Dezember 1991 eine demokratische Verfassung verabschiedet und Mitglieder der Nationalliberalen Partei an der Regierungsverantwortung beteiligt.

Welche Bedeutung haben die hier skizzierten Problemkreise für das internationale Selbstverständnis und die Außenpolitik der Bundesrepublik? Die Botschafter richteten an Deutschland auch eine Vielzahl von Freundschaftsbekundungen und Anfragen. Diesen kann es schwerlich immer vollständig nachkommen, nicht nur aus ökonomischen Gründen. Die planvolle Diversifizierung und Verstärkung der regionalen und bilateralen Kontakte erscheint jedoch durchaus möglich. Dies würde unter dem Dach der multilateralen Organisationen geschehen, denen die Bundesrepublik angehört, so daß deutsche Alleingänge oder eine außenpolitische Überdehnung kaum zu befürchten wären. Die hier schriftlich vorliegenden Vorträge elf europäischer Botschafter erweitern unseren Bewußtseinshorizont für die Probleme und Interessenlagen ihrer Länder und ermuntern die Deutschen, entgegen ihrer Neigung zur Nabelschau ein neues, ganz Europa berücksichtigendes Verantwortungsgefühl zu entwickeln.

Der Vortragscharakter der Beiträge wurde beibehalten, das gilt auch für ihre chronologische Reihenfolge. Die Botschafter, deren Kurzbiographien am Ende des Buches verzeichnet sind, erhielten Gelegenheit, notwendige Akutalisierungen vorzunehmen. Vereinzelt wird daher auf wichtige Ereignisse hingewiesen, die zeitlich nach dem Vortragsdatum liegen.

An der Organisation der Vortragsreihe und an der Drucklegung hatte Herr Carsten Giersch M.A. maßgebenden Anteil. Ihm sei an dieser Stelle aufs schönste gedankt. Gedankt sei auch dem Bouvier-Verlag für gute Zusammenarbeit.

Bonn, im Oktober 1992 Prof. Dr. H.-P. Schwarz

António Pinto da França
Botschafter der Republik Portugal
(12. November 1991)

Die Portugiesen besitzen in Coimbra eine der ältesten Universitäten Europas. Wir sind uns also der großen und Jahrhunderte alten Universitätstradition unseres Kontinents besonders bewußt - einer Tradition, die entscheidend die Entfaltung unserer gemeinsamen europäischen Kultur bestimmte und ihr eine einheitliche Grundlage gab. Sie ermöglichte trotz aller Vielfalt in unserer Zeit die Gründung der Europäischen Gemeinschaft.

Die Geschichte der Universität Bonn und ihrer fruchtbaren Entwicklung ist mir sehr gut bekannt. Noch vor wenigen Tagen, anläßlich der Feierlichkeiten zur Eröffnung des akademischen Jahres, beeindruckte mich die Kraft ihrer Tradition, verbunden mit einem dynamisierenden und erneuernden Geist als Reflex einer bemerkenswerten Kreativität. So ehrt mich die Einladung, über die Entwicklung zu sprechen, die den Beitritt Portugals zur Europäischen Gemeinschaft gekennzeichnet hat, und einige portugiesische Gedanken über die Zukunft Europas in einem für uns besonders wichtigen Augenblick darzulegen - kurz bevor wir die Präsidentschaft in der Europäischen Gemeinschaft zum ersten Mal antreten. Es ist zugleich eine Zeit, in der sich reizvolle Perspektiven, aber auch komplexe Herausforderungen offenbaren.

Der Gang der Ereignisse wollte es, daß mein Vortrag zeitlich mit einer entscheidenden Phase des Aufbaus der neuen europäischen Strukturen zusammentrifft. Die Verhandlungen über die verschiedenen Ansichten und Vorhaben werden mit großem Nachdruck und Engagement geführt, und die Partner in der Gemeinschaft möchten den Prozeß in Maastricht abgeschlossen sehen. Dieser Abschluß soll sich als Beginn eines Europas von größerer Zusammengehörigkeit, Solidarität und Einheit erweisen.

Wie sehen die Leitlinien der portugiesischen Politik für die Zukunft Europas aus? Zunächst ist es wichtig, klarzustellen, daß wir damit sowohl den Aufbau und die internen Strukturen Europas als auch seine Beziehungen zur übrigen

Welt meinen, insbesondere zu den Völkern und Ländern, in denen seine Anwesenheit sich am stärksten bemerkbar machte oder sein Erbe am deutlichsten wird. Wir müssen also auf zwei für uns untrennbare Fragen antworten: Erstens, welche europäische Architektur halten wir für adäquat? Zweitens, wie sehen wir Europas Status in der Welt? Wenn wir das von uns gewünschte Europa beschreiben, so tun wir dies mit beiden Beinen fest auf dem Boden der Gesellschaft stehend, die wir waren, sind und werden wollen, zusammen mit den anderen europäischen Brudervölkern. In diese Auffassung fügt sich natürlich auch die Überzeugung, daß alles, was wir für uns als unerläßlich und erhaltenswert fordern, zu einem Recht auch für jeden unserer Partner werden muß.

Das Europa, das wir wünschen und optimistisch vor uns sehen, muß sich in seinen Zielen einig zeigen und koordiniert handeln, als Ergebnis von Überlegungen, die durch die Vielfalt der nationalen Beiträge bereichert werden. Für uns bleibt Europa immer das Europa der Völker. Und damit Europa demokratisch und stabil, reich und weltoffen wird, muß es sich unbedingt als ein Haus zeigen, in dem sich alle seine Völker wohl fühlen. Dies setzt voraus, daß ein Volk sich sicher weiß in der Achtung seiner Rechte und der klaren Definition seiner Pflichten, frei, sich nach den Neigungen seiner Natur oder den von Gott ihm gegebenen Eigenschaften zu entfalten, unbeschadet seiner Bereitschaft, sich solidarisch und engagiert in gemeinsamen Aktionen mit den anderen Völkern als Mitglied derselben europäischen Familie zu zeigen. Wenn beim jetzigen Aufbau eines neuen Europas die Prinzipien und die Lebensrealität der Völker präsent sind und wir uns an ihnen ausrichten, so glauben wir Portugiesen, daß die Europäer die Einigung, um die sie sich bemühen, auch erlangen werden.

Zunächst möchte ich den Rahmen beschreiben, in dem sich das von uns gewünschte Europa einfügen und entfalten soll. Nach dem letzten Weltkrieg entwickelte sich in Westeuropa das Bewußtsein vom absoluten Primat der Grundrechte des Menschen über Erwägungen zur kollektiven Förderung der Gesellschaften, die diese Rechte unter dem Vorwand zu beschneiden versuchten, daß dies die Leistungsfähigkeit des Staates erhöhe oder daß der angeblich sozial gute Zweck die Mittel heiligen würde. Und man begriff, daß die Verteidigung der Menschenrechte gegen die Bedrohung, die aus einem sie verneinenden und mißachtenden System kam - einem Konglomerat unter der Diktatur einer Supermacht, der Ex-UdSSR - die aktive internationale Solidarität der Staaten erforderte, die ihre innere Ordnung aufgebaut hatten auf dem Prinzip der Würde des Menschen.

Aus dieser vitalen Notwendigkeit entstanden die Atlantische Allianz und ihre integrierten Verteidigungsstrukturen. Parallel dazu trug die Anerkennung der Menschenrechte zum Beginn der Entkolonialisierung bei, die das Verhältnis Herrscher-Beherrschte aufbrach und Europa zu einer zweiten Beziehung internationaler Solidarität führte, nämlich mit den neuen Staaten der sogenannten Dritten Welt.

Ich möchte hier deutlich feststellen, daß nach portugiesischer Auffassung letztlich die Prinzipien, für die wir uns in der Atlantischen Allianz einsetzen, genau dieselben sind, die uns auch versuchen lassen, die Nord-Süd-Beziehungen, insbesondere mit Afrika und Lateinamerika, zu bereichern und zu festigen, mit dem Ziel der Konsolidierung der demokratischen und gerechten Ordnungsprinzipien, welche die Atlantik-Charta in tragischer Stunde so klar hervorbrachte. Wir sehen die Zukunft Europas sowohl innerhalb der transatlantischen Beziehungen als auch nach Süden verlängert, der sich als komplementäres Gebäude des Europäischen Hauses offenbart.

Im Gegensatz zu allen anderen Kontinenten bildet Europa keine "kontinentale Masse". Europa ist eine Halbinsel, die sich ihrerseits in einen großen Komplex von vielen kleinen und mittleren Halbinseln, breiten und schmalen Meeren aufgliedert. Europa fungiert damit als Drehscheibe und Bindeglied zwischen dem amerikanischen, dem afrikanischen und dem asiatischen Kontinent.

An diesem Punkt unserer Überlegungen sind wir beim dritten Vektor der Beziehungen in Europa angekommen, beim euroasiatischen Gebiet. Vom euroatlantischen Zusammenleben lange durch den "eisernen Vorhang" getrennt, treten ein Teil Zentraleuropas und das ganze Osteuropa - einige Länder sogar zum ersten Mal - in den Kreis des freien und demokratischen Europas ein. Niemals seit der römisch-byzantinischen Spaltung war wie heute der Weg zu einer Osmose und Interfekundation der west- und osteuropäischen Kulturen frei gewesen. Ein Zeichen von schwerer politischer Kurzsichtigkeit wäre es, diesen neuen Paneuropäismus nicht anerkennen und sein ganzes Potential nicht ausschöpfen zu wollen. Tatsächlich zeigt er sich bereits als ein unerläßlicher Bestandteil unserer Zukunft, komplementär zu den Bindungen, die ich schon erwähnte.

Es ist kein Zufall, daß Portugal sich zunächst Gedanken über den Rahmen Gesamteuropas macht, bevor es sich seinem Inhalt widmet. Ohne diese Vorsichtsmaßnahme würde nach unserer Meinung die Gefahr bestehen, ein weltanschaulich zu enges Europa zu erzeugen, das dickbäuchig wäre mit seinem Sozialprodukt, kleinlich in seiner selbstgefälligen Nabelschau und beschäftigt mit der Verwaltung seiner kleinen internen Querelen.

Für den Inhalt des europäischen Ganzen finden wir als Vorbild die Europäische Gemeinschaft. In der Tat entstand, wuchs und festigte sich die Gemeinschaft auf der Basis des freien Beitritts und des Konsenses der Mitgliedsländer bei der Übertragung nationaler Zuständigkeiten. Erhält man diese Prämissen des Erfolgs der Gemeinschaft, dann ist für uns selbstverständlich, daß engere Beziehungen zwischen den Mitgliedsländern sowie zwischen ihnen und den Ländern außerhalb der Gemeinschaft eine zunehmende gemeinsame Koordinierung von Materien erfordern und daß Entscheidung und Ausführung einiger dieser Materien von einer einheitlichen Instanz ausgehen.

Unserer Meinung nach sollten die Partner bei dieser Entwicklung zunächst nach dem Ausschau halten, was sie wirklich für adäquat im Hinblick auf die Stärkung der Gemeinschaft, die Freiheit und den Wohlstand ihrer Bevölkerungen halten. Zweitens sollten diese sich denen gegenüber transparent und offen zeigen, die an der Gemeinschaft teilhaben möchten. Die Gemeinschaft muß nach außen hin zeigen, was sie ist und sein will, damit derjenige, der ihr beitreten möchte, auch weiß, was auf ihn zukommt. Die Entscheidung eines europäischen Staates, außerhalb der Gemeinschaft zu verbleiben, sollte nicht als eine Katastrophe angesehen werden. Freiheit beruht immer darauf, ja oder nein sagen zu können.

Der Gemeinschaft obliegt es, eine Reihe von Kooperationsmodellen den europäischen Staaten anzubieten, die sich eventuell gegen den Beitritt entscheiden. Wir sollen jedenfalls nicht versuchen, alles zu vereinheitlichen, indem wir die europäischen Staaten mit Bienenstöcken oder Ameisenkolonien verwechseln. Wir glauben, daß die Dichotomie "Vertiefung - Erweiterung" der Gemeinschaft falsch ist.

Indem wir die Unerläßlichkeit und die guten Gründe für die Stärkung der Gemeinschaftskompetenzen anerkennen, räumen wir notwendigerweise ein, daß der Kommission, dem Exekutivorgan der Gemeinschaft, die für die Durchführung erforderlichen Instrumente übertragen werden. Hier gibt es keinen Anlaß zu besonderen Vorbehalten, solange bei der Verteilung der neuen Kompetenzbereiche einige Prinzipien klargestellt werden. Zunächst das Subsidiaritätsprinzip. Wir meinen, daß eine Gemeinschaft, in der dieses Prinzip keine Gültigkeit hat oder unterbewertet wird, unakzeptabel ist. Andererseits erinnern wir an die Vorzüge einer graduellen Übertragung von Kompetenzen. Ebenso wichtig ist der Ausbau des Kontrollprinzips in seinen beiden klassischen Erscheinungsformen: die unabhängige richterliche Beurteilung nach materieller und institutioneller Rechtskonformität; die Überwachung durch die gewählten Repräsentanten der Völker.

Damit kommen wir zum empfindlichen institutionellen Aspekt der neuen europäischen Architektur. Hinsichtlich der Auseinandersetzung zwischen dem Europäischen Parlament und dem Rat um die gesetzgebende Macht, die eine gesunde Forderung nach Demokratisierung einschließt, möchte ich die Leitlinie verdeutlichen, an der sich mein Land bisher orientiert hat.

Da sich die Rechtsetzung der Gemeinschaft bisher aus der Zusammenführung von Entscheidungen ergibt, die von den Völkern der Mitgliedsländern durch ihre periodisch frei gewählten Regierungen und Parlamente getroffen wurden, sind wir der Meinung, daß es sehr riskant wäre, einer übernationalen Kammer Befugnisse übertragen zu wollen, die den Kern dessen berühren, was wir traditionell unter Souveränität verstehen. Wir glauben nicht, daß die Direktwahl entscheidend für die Feststellung der Machtqualität des Europäischen Parlaments ist, obwohl wir den aus dieser Legitimation abgeleiteten Wert nicht verneinen.

Essentiell ist für uns die Verbindung zwischen dem Bürger als Mitglied eines Volkes und der Institution, in der er den Ausdruck des kollektiven Willens dieses Volkes wiederfindet und aufgehoben weiß. Wir sollten aufrichtig sein. Sowohl in Portugal als auch in anderen Mitgliedsländern erkennt der gemeine Bürger als jene Institution sein eigenes nationales Parlament und seine eigene von diesem legitimierte Regierung an und nicht das ferne Europäische Parlament. Wollte man diesem Kompetenzen übertragen, die es in eine Konfrontation mit einem oder mehreren nationalen Parlamenten führen könnten, dann würde dies die Gemeinschaft einer unerträglichen Zerreißprobe aussetzen. Solange diese Gefahr bleibt, ist der Vorrang des Rates als Institution innerhalb der Gemeinschaft auch mit seiner höheren Kompetenz im Bereich der gemeinschaftlichen Gesetzgebung verbunden.

Wir wollen damit den Wert einer die erwünschte europäische Bürgerschaft vertretenden parlamentarischen Institution nicht mindern oder ihre Entwicklung verhindern. Im Gegenteil, wir wollen ihr Mitwirken im Bereich des Möglichen anregen. Wir haben bereits unsere Unterstützung für die Mitentscheidung in solch wichtigen Materien bekundet, wie Umwelt, Forschung, wirtschaftliche Zusammenarbeit, Entwicklungshilfe und Strukturfonds. Selbstverständlich sind wir offen für Vorschläge, welche die parlamentarische Kontrolle der Kommission stärken sollen.

Ähnliche Überlegungen bestimmen auch unseren Standpunkt zur gemeinsamen Außenpolitik. Hier werden die Urinteressen der Völker berührt, ja letztendlich entstanden die Staaten zu deren Verteidigung und Verwirklichung. Zum gegenwärtigen Zeitpunkt bewegt sich die Außen-, Sicherheits- und Verteidigungspolitik eines jeden Mitgliedstaates zwischen Wahrnehmung und Gefühl. Erstere besteht aus der Erkenntnis, daß viele eigenen und gemeinsamen Interessen eine konzertierte Aktion erfordern. Letzteres besagt, daß auf keinen Fall das eherne Gesetz jeder menschlichen Gesellschaft, salus populi maxima lex, zugunsten einer anderen übergeordneten Entität verletzt werden soll.

Was die Außenpolitik anbelangt, bietet sich uns im Rahmen der EPZ eine interessante Palette von Themen, bei denen die Gemeinschaft eine breite Erfahrung in der Feststellung identischer Gesichtspunkte und an gemeinsamen Taten besitzt. Sie bildet einen ausgezeichneten Boden für den Beginn einer EG-Außenpolitik. Diese könnte auf andere Gebiete ausgedehnt werden, wobei meine Regierung die Einschränkung macht, daß die Einstimmigkeit bei der Entscheidung in dieser Frage wesentlich ist. Ist diese gegeben, dann akzeptieren wir eine EG-Außenpolitik auf der Grundlage von qualifizierten Mehrheitsentscheidungen.

Entsprechendes gilt für die empfindlichen Gebieten der Sicherheits- und der Verteidigungspolitik. Portugal und die Bundesrepublik Deutschland sind Mitglieder eines der erfolgreichsten Verteidigungsbündnisse der Geschichte, der Atlantischen Allianz und der Organisation, die ihr Ausstrahlung und Wirksamkeit verleiht, der NAT0. Ein solches Gut in Frage zu stellen, wäre eine unverzeihliche Unverantwortlichtkeit. Wir sind offen für die Reform der Allianz, besser gesagt, für ihre Anpassung an die Welt nach dem Ende des Ost-West-Konflikts.

Man definiere die Interessen, man schätze die Risiken ein, und dann gestalte man die Art und Weise, diesen zuvorzukommen und jenen gerecht zu werden. Das NATO-Gipfeltreffen, das letzte Woche in Rom stattfand, setzte dafür wichtige Meilensteine. Portugal wird sich an diesem Prozeß ohne Einschränkung beteiligen. Wir betrachten mit Zuversicht die Krisenregionen, von denen Risiken für die europäische Sicherheit ausgehen können. Weder der Zerfall der Sowjetunion, noch das israelisch-arabische Problem oder die demographischen und sozio-ökonomischen Spannungen im Maghreb müssen sich auf Katastrophenszenarien zubewegen. Wir Europäer können dem entgegentreten, indem wir einen Stabilitätspol in Europa aufrechterhalten, einen Bezugspunkt, der Vertrauen weckt. Das wird nur in enger Kooperation mit den transatlantischen Demokratien möglich sein. Dasselbe gilt für die Fortsetzung der Verhandlungen über Abrüstung und Rüstungskontrolle, einschließlich des überaus wichtigen Aspekts der Nichtverbreitung von Massenvernichtungswaffen.

Die neuen Aufgaben des Atlantischen Bündnisses werden nun schrittweise neu definiert. Die Europäer müssen sich daran mit Nachdruck beteiligen. Wir besitzen eine Organisation, die besonders für Sicherheits- und Verteidigungsfragen bestimmt ist - die WEU. Wenn wir deren Möglichkeiten ausschöpfen, werden wir einen wichtigen Beitrag für die Sicherheit und die gemeinsame Verteidigung sowohl Europas als auch des Bündnisses insgesamt leisten können. Vermeiden sollte man jedoch die militärisch unnötigen und teuren Verdoppelungen. Wenn wir von Vorschlägen zum Aufbau neuer militärischer Strukturen oder Systeme in Europa hören, parallel zu denen, über die das Bündnis schon verfügt, dann fragen wir uns, ob diejenigen, die das vorschlagen, wirklich eine Ahnung von den Kosten haben.

Nichts steht einer eigenen europäischen Identität innerhalb der Allianz entgegen. Sie wird die notwendige Folge der Politischen Union sein, die zu einer Veränderung des relativen Gewichts der Europäer gegenüber den Vereinigten Staaten von Amerika führen wird. Das impliziert eine stärkere Rücksichtnahme auf die spezifisch europäischen Interessen in den Entscheidungen und im Wirken der Allianz. Wenn wir auf diese Weise erreichen können, was wir in der Tat beabsichtigen, sollten wir doch Wege vermeiden, die nur neue Ausgaben und Aufwand bedeuten.

Wir müssen die Probleme berücksichtigen, die dadurch entstehen, daß zwischen der EG- und der WEU-Mitgliedschaft keine volle Übereinstimmung herrscht. Sie könnten sich bei weiteren Beitritten zur Gemeinschaft noch stärker bemerkbar machen. Andererseits müssen wir die Konsequenzen ziehen aus der mangelnden Vorbereitung der EG auf den Umgang mit Sicherheits- und Verteidigungsfragen. Die Gemeinschaft wurde nicht für diesen Zweck geschaffen, und ihre Mitglieder haben hierzu verschiedene Vorstellungen. Wie kann man von gemeinsamer Verteidigung sprechen, ohne diese Aspekte vorher zu klären? Warum sollten wir die WEU gerade jetzt mit solchen ungelösten Problemen belasten - was geschehen würde, wenn wir diese von der Gemeinschaft organisch abhängig machen würden -, wo man ihr neue Aufgaben zuteilen möchte. Aber vielleicht hat jemand Lösungspläne, an die wir noch nicht gedacht haben.

Solange das nicht der Fall ist, ziehen wir es vor, die Europäische Gemeinschaft und die WEU als institutionell und organisch verschieden zu betrachten, wenn auch eng verbunden, nachdem alle Mitglieder der WEU auch EG-Partner sind. Man bedenke aber, was für eine seltsame Konstellation es wäre, wenn der

Rat einer zum Beispiel auf sechzehn Mitglieder erweiterten Gemeinschaft der WEU - weiter als Neuner-Klub - Anweisungen gäbe.

Trotz der erhobenen Vorbehalte meinen wir, daß die Gemeinschaft eine wichtige Rolle beim Aufbau und der Ausführung einer gemeinsamen Sicherheitspolitik im Rahmen der KSZE spielen kann. Es scheint uns auch das Wirkungsgebiet zu sein, das sich mit der künftigen EG-Erweiterung mehr im Einklang befände. Denken wir daran, daß vieles, was für die außenpolitische Integration als noch nicht reif erscheint, mit Erfolg Gegenstand gemeinsamer Verständigung und Aktionen auf der Ebene der politischen Kooperation werden könnte. Unserer Meinung nach soll die aktuelle EPZ gestärkt und erweitert werden.

Aber wenden wir nun unsere Aufmerksamkeit der Vollendung des Gemeinsamen Marktes und der Wirtschafts- und Währungsunion zu. Die für Ende 1992 vorgesehene Konkretisierung des Europäischen Binnenmarkts bedeutet für Portugal eine enorme Herausforderung, bietet aber auch beachtliche Chancen für die seit Portugals Beitritt zur Europäischen Gemeinschaft in Gang gesetzte wirtschaftliche Erneuerung.

Seit Anfang 1986 ist Portugal Vollmitglied der EG. Es war ein langer, mühsamer Weg, bis es endlich zur Unterzeichnung der Verträge kam. Acht Jahre zogen sich die Verhandlungen hin. Die Portugiesen mußten viel Geduld haben, bis es ihnen gelang, die letzten Hürden zu überwinden. Seither erfordert die Anpassung der schwachen portugiesischen Wirtschaftsstrukturen an mitteleuropäisches Niveau beachtliche Anstrengungen. Ein Schwellenland muß sich innerhalb relativ kurzer Zeit so weit umstrukturieren, daß es den harten Konkurrenzkampf in einem großen marktwirtschaftlich orientierten Raum besteht. Teilweise hatte man auf portugiesischer Seite die Erwartung großzügigen Entgegenkommens seitens der EG gegenüber den spezifischen Problemen unseres Landes zu hoch geschraubt. Andererseits hat der überwiegende Teil der Abmachungen in der Übergangsphase der portugiesischen Industrie die Anpassung an die EG-Regeln erleichtert. Die mittlerweile erreichten Fortschritte der letzten Jahre in der wirtschaftlichen Entwicklung Portugals sprechen für sich.

Zurück zu den Beitrittsverhandlungen. Schon bei der ersten Erweiterung und dem Beitritt Griechenlands traten institutionelle Schwächen und dringender Reformbedarf des EG-Apparates zutage. Während der Verhandlungsphase wurden nun die Tatsachen teilweise so verzerrt, als ob Portugal und Spanien schuld an der Vielzahl von Problemen innerhalb der Gemeinschaft wären. Im Grunde waren diese Umstrukturierungen längst überfälliq, unabhängig von der

Süderweiterung. Es bestand Einmütigkeit unter den EG-Mitglieder, daß aus politischen Gründen ein Beitritt der beiden iberischen Länder erwünscht und zur Konsolidierung der jungen Demokratien sogar dringend geboten sei. Bei der Bewältigung der wirtschaftlichen und insbesondere der finanziellen Schwierigkeiten schieden sich jedoch bald die Geister.

Dabei wurde Portugal fast immer das Opfer von Gleichstellungen oder Verwechslungen mit Spanien, obgleich die mit unserem Beitritt verbundenen Probleme völlig anders geartet und vergleichsweise überhaupt nicht signifikant waren. So wurden zum Beispiel die verständlichen Bedenken Frankreichs und Italiens wegen der befürchteten Konkurrenz Spaniens auf dem Agrarsektor in einem Atemzug auch auf Portugal ausgedehnt. Man vergaß dabei, daß Portugal leider eine defizitäre Agrarbilanz hat. Wir importieren mehr Ernährungsgüter als wir exportieren. Die von den Medien oft zitierten Wein- und Olivenölseen, die andere Mitgliedsländer angeblich zu überschwemmen drohen, können also gar nicht aus Portugal kommen. Allenfalls kann Portugal von EG-Butter oder deutschen Fleischprodukten erdrückt werden.

Und da wir von deutschen Produkten sprechen, die nun verstärkt den portugiesischen Konsumenten erfreuen, sei auch lobend vermerkt, welch wesentliche Rolle die Bundesrepublik beim Zustandekommen des portugiesischen Beitritts gespielt hat. Ohne die starke deutsche Position und die Koppelung der Erhöhung des deutschen EG-Finanzbeitrags an die Süderweiterung wäre diese wahrscheinlich gar nicht möglich gewesen.

Die nach dem Beitritt aufgetretenen Schwierigkeiten und Engpässe, werden nach und nach bewältigt. Die große Katastrophe, die von einigen wenigen Gegnern des portugiesischen Beitritts vorausgesagt worden war, ist ausgeblieben. Zwar hört man hier und dort kritische Stimmen, die aus ihrer Enttäuschung über die angeblich zu langsamen Fortschritte in der Anpassung des portugiesischen Lebensniveaus an mitteleuropäische Standards keinen Hehl machen. Diese sind jedoch zu einem beachtlichen Teil auf ungenügende bzw. verzerrte Information der breiten Masse über die voraussehbaren Folgen des Beitritts zurückzuführen. Die EG-Mitgliedschaft wurde nur von der Schokoladenseite präsentiert, und es wurde immer hervorgehoben, welche Vorteile und Zuwendungen Portugal erhalten würde. Es wurde der übertrieben optimistische Eindruck verbreitet, wenn wir erst einmal Mitglied der EG wären, würden sich alle Probleme sozusagen von selbst lösen. Daß auch Opfer und beachtliche Anstrengungen erforderlich sein würden und viele portugiesische Klein-und Mittelbetriebe einen sehr harten Kampf ums Überleben gegen die stärkere, weiterentwickelte ausländische Konkurrenz durchzustehen haben würden, ist vielen nicht klar gewesen. Es gibt aber keinen Grund pessimistisch zu sein, im Gegenteil. Die portugiesische Industrie hat zwar Schwächen, die unbedingt korrigiert werden müssen, sie hat aber nach der Revolution und Entkolonialisierung eine harte Bewährungsprobe bestanden und beachtliche Anpassungsfähigkeit bewiesen.

Trotz der stark negativen Handelsbilanz in einer Größenordnung von fünf Milliarden Dollar im vergangenen Jahr, ist zu bemerken, daß die portugiesische Leistungsbilanz lediglich ein Defizit von circa 500 Millionen Dollar aufweist, was auf hohe Einnahmen durch den Fremdenverkehr von etwa zwei Milliarden Dollar und Überweisungen im Ausland lebender Portugiesen von etwa 3,4 Milliarden Dollar zurückzuführen ist. Nicht zu unterschätzen sind in den letzten Jahren auch die Überweisungen der EG im Rahmen verschiedener Strukturprogramme. Sie übertrafen die Zahlungen Portugals an die Gemeinschaft bei weitem. So ergaben sich für Portugal seit dem Beitritt steigende Nettosalden, von 264 Millionen Dollar im Jahre 1986 auf 824 Millionen im Jahre 1989.

Eine wichtige Rolle bei der günstigen Entwicklung der portugiesischen Leistungsbilanz spielen auch die ausländischen Investitionen. Eine sehr liberale Investitionsgesetzgebung wurde bereits im Zuge der Demokratisierung des Landes nach 1974 geschaffen, wonach der ausländische Investor dem inländischen gleichgestellt wird und keine Beschränkungen der ausländischen Beteiligungen bestehen. Die Firmen dürfen also hundertprozentig in ausländischem Besitz sein, und die Gewinne können nach Abzug der Steuern ins Ausland überwiesen werden. Der derzeit gültige Kodex für Auslandsinvestitionen wurde bereits mehrmals verbessert und nach dem Beitritt Portugals zur EG dem geltenden Gemeinschaftsrecht angepaßt. Es setzte ein wahrer Boom ausländischer Investitionen in Portugal ein. Aus bescheidenen 166 Millionen Dollar im Jahre 1986 wurden 1,4 Milliarden Dollar im Jahre 1989. Der größte ausländische Investor in Portugal ist nach wir vor Großbritannien, gefolgt von den Vereinigten Staaten. Danach kommen Frankreich, Spanien und die Niederlande, dann erst erscheint die Bundesrepublik auf dem sechsten Platz.

Über die Gründe der deutschen Zurückhaltung bei Investitionen in Portugal wird gerätselt. Allerdings fand die deutsch-portugiesische Handelskammer anläßlich einer vor kurzem durchgeführten Umfrage bei deutschen Unternehmen in Portugal über Investitionsstruktur, Investitionsverhalten, Gewinnverwendung und Beschäftigung heraus, daß die deutschen Unternehmen ihre Gewinne meistens nicht transferieren, sondern reinvestieren. Da in solchen Fällen kein Devisentransfer stattfindet, erscheinen die entsprechenden Beträge nicht in der amtlichen Statistik. Außerdem werden Investitionen deutscher Unternehmen teilweise über Zweigbetriebe in anderen Ländern durchgeführt, so daß statt Deutscher Mark andere Währungen verbucht werden. Die erwähnte Umfrage ergab, daß es in Portugal zur Zeit etwa 350 Unternehmen mit deutschem Kapital gibt, die etwa 50.000 Arbeitnehmer beschäftigen. Fast alle befragten Unternehmen haben für die Zukunft beachtliche Erweiterungsinvestitionen geplant und bewerten die Produktivität als gut oder befriedigend.

Die Investitionen sind zum überwiegenden Teil auf den kommenden Binnenmarkt ausgerichtet und natürlich für Portugal von enormer Wichtigkeit. Ohne das technische Know-how und die Finanzkraft der ausländischen Partner, insbesondere aus den hochentwickelten Industriestaaten, wäre es für Portugal sehr schwer, den Anschluß an Europa nicht zu verpassen. Dennoch sind gewaltige eigene Anstrengungen erforderlich. Große Sorgen bereitet uns nach wie vor die Umstrukturierung und Modernisierung der Verwaltung.

Seitdem die Sozialdemokratische Partei unter der Führung von Ministerpräsident Cavaco e Silva im Juli 1987 die absolute Mehrheit im Parlament erlangte, konnten dringende Probleme angepackt werden, die vorher immer wieder durch Querelen zwischen den Koalitionspartnern blockiert worden waren. So zum Beispiel die Reprivatisierung der kurz nach der Revolution verstaatlichen Betriebe. Die verfassungsbedingten Hemmnisse wurden mittlerweile beseitigt, und ab 1989 kamen wichtige Industriezweige und auch der Banken- und Versicherungsbereich wieder in private Hände. Eine sehr wichtige Hürde für die Bemühungen um die Konsolidierung des wirtschaftlichen Aufbaus des Landes konnte die portugiesische Regierung im Oktober vergangenen Jahres überwinden. Es gelangt ihr, mit den Gewerkschaften einen Sozialpakt abzuschließen, der für die nächsten Jahre stabile und kalkulierbare Verhältnisse auf dem portugiesischen Arbeitsmarkt schafft.

Bei der Infrastruktur, die natürlich für ausländische Investoren von größter Bedeutung ist, bleibt zugegebenermaßen noch allerhand aufzuholen. Aber es wurden in den letzten Jahren erfreuliche Fortschritte erzielt, nicht zuletzt dank großzügiger Strukturhilfen seitens der EG in Form von Zuschüssen und Krediten, die allerdings einen beachtlichen Eigenbetrag Portugals voraussetzen.

Das ehrgeizige Entwicklungsprogramm hatte bis jetzt keine negativen Folgen auf dem Arbeitsmarkt. Die Arbeitslosenquote lag nach der amtlichen Statistik im Jahre 1989 bei sechs Prozent und bestätigt somit den abnehmenden Trend in den letzten Jahren - 1986 lag sie bei zehn Prozent. Bei den Facharbeitern herrscht Marktsättigung, wenn nicht sogar ein Mangel.

Schwierigkeiten bereitet der Konjunkturboom allerdings bei der Bekämfung der Inflation. Zwar ist es gelungen, von der hohen Rate von 19 Prozent im Jahre 1985 auf etwa 12,4 Prozent im vergangenen Jahr herunterzukommen; die letzten verfügbaren Zahlen Mitte dieses Jahres verzeichnen zwölf Prozent. Wir sind aber noch weit entfernt vom EG-Durchschnitt von fünf Prozent. Eine so hohe Inflationsrate erschwert selbstverständlich Portugals Bemühungen um den Beitritt zum Europäischen Währungssystem. Wir gehören zwar dem ECU-Korb schon an, sind aber - im Gegensatz zu Spanien - noch nicht im Währungsverbund.

Die Auslandsschulden, die 1987 einen Höhepunkt von 18,5 Milliarden Dollar erreichten, wurden teilweise abgebaut. Dabei muß berücksichtigt werden, daß die portugiesischen Gold- und Devisenreserven darüber liegen, mit anderen Worten, Portugal könnte theoretisch seine Auslandsschulden sofort begleichen. Auch das Verhältnis der gesamten Staatsverschuldung zum Bruttoinlandsprodukt hat sich deutlich verbessert. Es liegt zur Zeit bei einer Größenordnung von 64 Prozent. Das entspricht in etwa dem Grenzwert von 60 Prozent, den die EG-Kommission als eine Voraussetzung für die Teilnahme an der Währungsunion empfohlen hat. In der Tat hat sich das BIP im Laufe von vier Jahren verdoppelt, während die Neuverschuldung auf das Notwendigste reduziert wurde. Insgesamt kann man die derzeitige Wirtschaftslage in Portugal als gut bezeichnen. Fast alle Wirtschaftsindikatoren haben sich in den letzten Jahren und besonders nach dem EG-Beitritt verbessert.

In Anbetracht der herannahenden Europäischen Währungsunion, der Portugal zu gegebener Zeit beitreten muß, um nicht marginalisiert zu werden, sind weitere beachtliche Anstrengungen nötig. Aus portugiesischer Sicht müssen im Zuge der Verwirklichung der Wirtschafts- und Währungsunion unbedingt Verzerrungen vermieden werden, die schwere Krisen verursachen könnten. Die volle Liberalisierung müßte durch Maßnahmen flankiert werden, die eine harmonische Gesamtentwicklung gewährleisten. In der sozialen Dimension wäre Vorsorge zu treffen, daß Rechte und Pflichten aller Mitglieder angemessen verteilt werden und daß eine wirklich homogene Gesamtregion entsteht. In unserer geographischen Lage ist es besonders wichtig, ein Kommunikationsnetz zu schaffen, daß auch an der Peripherie einwandfreie Verbindungen zum europäischen Kern gewährleistet. Was die notwendige wirtschaftliche Konvergenz angeht, so muß berücksichtigt werden, daß jedes Mitglied den Zeitpunkt seines Beitritts zur Währungsunion anhand seiner wirtschaftlichen Entwicklung selber wählen kann, ohne daß der Globalstatus seiner Mitgliedschaft davon berührt wird. Unter diesen Voraussetzungen bestehen aus portugiesischer Sicht keine Einwände gegen einen Beitritt zur Europäischen Wirtschafts- und Währungsunion.

Kai Helenius
Botschafter der Republik Finnland
(19. November 1991)

Der römische Geschichtsschreiber Tacitus (etwa 100 n. Chr.) schildert in seiner Schrift "Germania" seinen verweichlichten Landsleuten ein primitives und wildes Volk, das ohne Annehmlichkeiten der Kultur zufrieden vor sich hinlebt. Er nennt sie Fenni. Bereits damals gab es also eine Verbindung zwischen Deutschland und Finnland, da man die Fenni in der Schrift "Germania" erwähnte. Tacitus mag sich bei den Stämmen geirrt haben - wie dem auch sei, wir sind heute weniger wild, mehr europäisiert und die Annehmlichkeiten der Kultur gewohnt.

Die Grundziele der Außenpolitik Finnlands waren - wenn auch noch nicht zu Tacitus' Zeiten - und sind weiterhin, gute Beziehungen zu allen Ländern, insbesondere den Nachbarländern, zu unterhalten sowie die Förderung des internationalen Friedens und der Verständigung durch Verstärkung der Funktionen der KSZE und der Vereinten Nationen.

Helmut Schmidt schreibt in seinem Buch "Die Deutschen und ihre Nachbarn" folgendes über Finnland in den Jahren nach dem Zweiten Weltkrieg: "Aber die Hoffnungen Stalins auf eine innere Bolschewisierung des Landes erfüllten sich nicht: Finnland hat den Stalinismus als unabhängige Nation überlebt. Bis 1952 haben die Finnen mit zusammengebissenen Zähnen die Reparationen gezahlt; sie haben eine strikte, aber bewaffnete Neutralitätspolitik verfolgt und der Sowjetunion keinen Vorwand geliefert, vertragsuntreu zu sein. Aus einem starken Willen zur Selbstbehauptung haben sie eine funktionstüchtige Demokratie errichtet; die Verfassung gilt übrigens seit dem Ersten Weltkrieg fast unverändert." Die Verfassung und das selbständige Finnland werden im Jahre 1992 75 Jahre alt.

Die finnische Außenpolitik der Nachkriegszeit kann auf die folgende Formel reduziert werden: Versöhnung mit der Sowjetunion, um durch eine schrittweise Emanzipation die Reintegration mit dem Westen zu erzielen. Es sei an dieser

Stelle auch erwähnt, daß Finnland bis zum heutigen Tag keinen einzigen europäischen Zug verpaßt hat. Die finnische Neutralitätspolitik diente dieser Politik als Methode. Die Neutralität ist nie zum Selbstzweck geworden. Sie gewährleistete die Sicherheit und Stabilität in einem geopolitisch wichtigen Gebiet und gab uns die Möglichkeit, uns für Entspannung und den Brückschlag zwischen Ost und West einzusetzen.

Das schrittweise Wiedererlangen der vollen Souveränität war von Anfang an Ziel finnischer Außenpolitik. Im Sog der "2+4"-Gespräche befreite sich Finnland im September 1990 mit einem einseitigen Beschluß von der letzten Einschränkung seiner Souveränität. Die Bestimmungen des Friedensvertrages vom Jahre 1947, die u.a. die Bewaffnung der finnischen Streitkräfte begrenzten und es Finnland untersagten, Waffen aus Deutschland und Flugzeuge aus Japan zu beziehen, sowie der Hinweis auf Deutschland als potentieller Aggressor im finnisch-sowjetischen Freundschaftsvertrag wurden für obsolet erklärt. Am 20. Januar 1992 stellten Finnland und Rußland in Helsinki ihre Beziehungen durch einen Grundlagenvertrag sowie durch Abkommen über regionale Zusammenarbeit und Handel auf eine formelle Grundlage. Gleichzeitig wurde mit einem Notenaustausch der 1948 auf Initiative Stalins von der Sowjetunion und Finnland geschlossene Freundschafts- und Beistandsvertrag gegenstandslos.

Inmitten der großen Umwälzungen in Europa sollte nicht vergessen werden, daß es immer noch die geographische Lage ist, welche die Außenpolitik eines Landes bestimmt. Diese napoleonisch-bismarcksche Beobachtung wird in Finnland - ebenso wie auch in Deutschland - unwidersprochen gebilligt. Die Geographie wird auch den folgenden Integrationsschritt Finnlands mitbestimmen. Die flächenmäßige Ausdehnung Finnlands von über 330.000 Quadratkilometern - Finnland ist größer als die alte Bundesrepublik, größer als Italien und Großbritannien - und auch die Länge der finnischrussischen Grenze, 1300 Kilometer, sprechen gegen eine militärische Integration.

Anders als die Reformstaaten Mittel- und Osteuropas will Finnland keine Sicherheitsgarantien von der Nato haben. Ebenso wie Schweden geht Finnland davon aus, daß es nicht eine bindende militärische Zusammenarbeit eingehen kann und daß Finnland auch weiterhin die Kontrolle und die Verteidigung seines nationalen Territoriums alleine tragen.

Das Europa, an das wir uns in Jahrzehnten gewöhnt hatten, existiert nicht mehr. Tiefgreifender als irgendeine andere Nation haben die Deutschen die Revolution der letzten Jahre aus eigener Erfahrung erlebt. Ich gehe sicherlich nicht fehl in der Annahme, daß viele hier in Deutschland sich immer noch fragen, wie dies alles gekommen ist und wie es jetzt weitergehen soll. Ich kann Ihnen versichern, daß dieses Gefühl auch von breiten Kreisen in Finnland geteilt wird. Südlich von uns sind drei Staaten wiederentstanden, an deren frühere Existenz nur die älteste Generation persönliche Erinnerungen hat. Und im Ostteil des Finnischen Meerbusens finden wir Sankt Petersburg, jene Stadt, die in der Geschichte so viel für Finnland und seine Entwicklung bedeutet hat.

In Europa vollziehen sich derzeit zwei Umbrüche von historischer Tragweite: Die wirtschaftliche und politische Integration in Westeuropa und zur gleichen Zeit die Veränderung der gesellschaftlichen und politischen Ordnung im östlichen Mitteleuropa und in der Gemeinschaft Unabhängiger Staaten. Im Westen treibt die grenzüberschreitende Integration von Politik und Wirtschaft die Entwicklung voran. Die derzeitigen Triebkräfte im Osten dagegen sind das verstärkte Nationalbewußtsein sowie die Desintegration der wirtschaftlichen und sozialen Systeme.

Diese Entwicklungen, die tief in die Zukunft unseres Kontinents eingreifen, beeinflussen einander und sind auch voneinander abhängig. Damit richtig umzugehen, wird eine unserer wichtigsten Aufgaben im gemeinsamen Europa sein. Der Veränderungsprozeß ist unaufhaltbar. Er kann nur durch gemeinsame Anstrengungen gemeistert werden. Das sollten wir nicht vergessen.

Finnlands Marktwirtschaft steht vor großen Herausforderungen im Osten. Der wirtschaftliche Aufbau und die Beseitigung der ökologischen Schäden im Nordwesten Rußlands und in den baltischen Staaten werden auch die finnische Wirtschaft äußerst stark beanspruchen, zumal diese selbst sich heute in einer schweren Krise befindet. Die Hoffnungen, die durch die Entwicklung im August 1991 bei der Bevölkerung in der Sowjetunion geweckt wurden, werden heute von wirtschaftlichen Problemen überschattet. Das wirtschaftliche Gefälle an Finnlands langer Ostgrenze war nie zuvor in der Geschichte so groß wie zur Zeit.

Eine Grenzfrage gibt es für Finnland nicht. Der Verlauf der heutigen finnischen Grenze ist das Ergebnis zweier verlorener Kriege und wurde in zwei Friedensverträgen festgeschrieben. Für Finnland als europäischen Staat und KSZE-Land bedeuten Grenzen nicht Stacheldraht und Mauer. Die hoheitsrechtliche Trennlinie braucht nicht den freien Verkehr über die Grenze zu verhindern. Eine Verschiebung der Grenzen würde dagegen unser Verhältnis zu Rußland wieder mit einer schweren Hypothek belasten.

Wir sind Zeugen des Wiederaufstiegs der nördlichen Hauptstadt Rußlands, wie St. Petersburg schon immer bezeichnet wurde. Sie ist zwar immer die zweite Metropole im russischen Reich gewesen, aber heute liegt die Stadt wirtschaftlich darnieder und ist durch die Sezession der baltischen Staaten von ihrem Hinterland und damit ihrer Versorgungsbasis abgeschnitten. Die Brisanz der politischen und wirtschaftlichen Entwicklung ist offensichtlich. Hinzu kommen psychologische Faktoren und nationalistische Probleme. Aber die Chancen für eine positive Wechselwirkung zwischen den baltischen Hafenstädten und der Industriebasis von St. Petersburg sollten keineswegs gering geschätzt werden.

In der Entwicklung Europas sehen wir wachsende Möglichkeiten für eine Vertiefung der regionalen Zusammenarbeit. Der Ostseeraum, besonders die nordischen Länder und Estland, sowie die an uns grenzenden Teile Rußlands sind die erstrangigen Partner für Finnland. An vorderster Stelle in dieser Zusammenarbeit stehen die Problembereiche, welche die politischen und wirtschaftlichen Reformen an den Tag gebracht haben: Umwelt, Lebensmittelversorgung, Infrastruktur und Ausbildung. Über die selbständigen baltischen Länder erschließt sich Finnland eine neue Verbindung mit dem europäischen Kontinent. An der Ostsee treffen sich auch Finnlands und Deutschlands Interessen in Fragen wie Schutz der Meeresumwelt, Verkehr, Handel, Dienstleistungen oder Sicherheit der Kernkraftwerke, um nur einige Beispiele zu nennen. Es liegt auf lange Sicht im allergrößten Interesse Finnlands, dem Baltikum und den russischen Grenzgebieten auf der Grundlage der Marktwirtschaft in die Bahn wirtschaftlichen Wachstums zu verhelfen.

Was das Baltikum betrifft, so sehe ich beim Entwickeln dieser Gebiete eine Fülle von Möglichkeiten der Zusammenarbeit zwischen Finnland und Deutschland. Deutschland hat im Warenhandel und in anderen Formen wirtschaftlicher Zusammenarbeit sowohl mit Skandinavien als auch mit dem Baltikum lange Traditionen. Die Ära der Hanse kann hier als historisches Beispiel dienen. Ich glaube, die Zeit ist gekommen, ernsthaft die Möglichkeiten zu untersuchen, welche Rolle eine neue Hanse für die Weiterentwicklung des nördlichen Europa bieten könnte. In einigen informellen Arbeitsgruppen sind schon Vorschläge für die künftige Zusammenarbeit im Rahmen der Ostsee entworfen worden. Für das neue Europa sind diese regionalen Konzepte ein wesentlicher Bestandteil. Nordeuropa birgt die größten Naturvorkommen unseres Kontinents. Der Ausbildungsstand der Bevölkerung gehört zu den höchsten in ganz Europa. Und schließlich ist die industrielle Produktionskapazität dieser Länder auf vielen Gebieten Weltspitze. Ein vernünftiger Einsatz dieser Produktionsfaktoren wäre geeignet, der Wirtschaft dieses Gebietes einen Wachstumsschub zu geben, wie er ohne Zusammenarbeit nicht möglich wäre.

Eine Beschleunigung des Wirtschaftswachstums ist unabdingbar, weil wir zusätzliche Ressourcen benötigen, um die neuen Anrainerstaaten der Ostsee in die Entwicklung zu wirtschaftlichem Wohlstand mit einzubeziehen. Im Anfangsstadium dürfte das Integrieren dieser Staaten in die Zusammenarbeit erhebliche Investitionen in den Aufbau der Infrastrukturen dieser Länder verlangen. Auf lange Sicht haben die baltischen Länder gute Chancen, sich zu ebenbürtigen Wirtschaftspartnern zu entwickeln.

Wir gehen davon aus, daß die gegenwärtigen Hilfsmaßnahmen für das Baltikum, für den St. Petersburger Raum und für Karelien mit der Zeit in normalen Warenaustausch und normale Geschäftstätigkeit übergehen. Für jene deutschen Unternehmen, die auf lange Sicht an Investitionen und Projekten in Rußland interessiert sind, bietet die Zusammenarbeit mit finnischen Unternehmen eine ernstzunehmende Alternative.

Für Finnland ist die Entwicklung in der Gemeinschaft Unabhängiger Staaten von großer Bedeutung. In unseren eigenen Wirtschaftsbeziehungen mit der ehemaligen Sowjetunion haben sich im letzten Jahr große Umwälzungen vollzogen, die unsere gesamte wirtschaftliche Entwicklung beeinflussen und die ganze Industriezweige zu einer teilweisen Umstrukturierung ihrer Produktion zwingen. Wir unterstützen nach bestem Vermögen die Reformpolitik der GUS im Hinblick auf ihre künftige Bedeutung als Handelspartner. Unser Ziel bei der Errichtung der neuen europäischen Architektur ist die Förderung einer ausgewogenen Entwicklung auf dem gesamten Kontinent. Es gilt, das Aufreißen einer Wohlstandskluft zu verhindern, damit an die Stelle des Eisernen Vorhangs nicht eine Brandmauer tritt.

Die politischen und wirtschaftlichen Reformen in Mittel- und Osteuropa werden in unterschiedlichen Zeitspannen verwirklicht. Freiheit und Selbständigkeit sind noch keine Garantie für eine stabile politische Entwicklung. Die vielfach unerwarteten Veränderungen gewährleisten nicht, daß der Prozeß auch künftig in die gleiche Richtung führt. Die Ziele, Reformen und Hoffnungen prallen überall frontal auf die politischen und wirtschaftlichen Realitäten.

Die Verwurzelung der Demokratie im östlichen Europa ist somit in vielerlei Hinsicht schwieriger als in den westlichen Industrienationen, in denen die demokratische Entwicklung einen langen Reifeprozeß durchgemacht hat. Auch die heutige Marktwirtschaft ist das Ergebnis eines längeren Entwicklungsprozesses. Im östlichen Europa steht man auch hier erst am Anfang. Wir haben uns darauf einzustellen, daß die tiefe wirtschaftliche Krise im östlichen Europa noch lange andauern wird. Das Bestreben, die Marktwirtschaft im Eiltempo zu etablieren, bringt Schattenseiten dieses wirtschaftlichen Systems ans Licht - Inflation, Konkurse und Arbeitslosigkeit - sowie die mit ihnen verbundenen gesellschaftlichen Konsequenzen. Die wirtschaftlichen Reformen stellen somit die noch in zarter Blüte stehenden östlichen Demokratien auf eine harte Belastungsprobe.

Die Beziehungen zwischen den Ländern unseres Kontinents bauen auf den Prinzipien der pluralistischen Demokratie und der Marktwirtschaft auf, die im November 1990 auf dem Pariser KSZE-Gipfel bekräftigt wurden. Sehr wichtig für den gesamten Kontinent ist, daß die Bürger des östlichen Europa die Möglichkeit erhalten, ihre eigene Zukunft selbst zu gestalten und selbstverantwortlich die künftige Entwicklung in ihren Ländern zu bestimmen. Für ganz Europa wäre es ein Desaster, wenn die Situation im östlichen Europa außer Kontrolle geraten würde und in eine breite, wirtschaftliche Emigrationswelle umschlüge oder wenn diese Gesellschaften ihre besten Mitglieder an den Westen verlieren würden.

Die Hauptverantwortung liegt bei den östlichen Ländern selbst. Die Industrieländer des Westens können den Reformprozeß am besten dadurch unterstützen, daß sie den Ländern Mittel- und Osteuropas Hilfe zur Selbsthilfe leisten. Eine ausgeglichene, stabile Entwicklung setzt auch eine Veränderung des Denkens und der Einstellungen voraus. Im Osten müssen an den Systemwechsel gestellte unrealistische Erwartungen sowie falsche Vorstellungen über die Allmacht des Staates ausgeräumt werden.

Für die Krisenwirtschaft ist es sehr schwierig, gleichzeitig eine Reformwirtschaft zu sein. Man kann die erforderlichen Maßnahmen zur wirtschaftlichen Sanierung in einer Krisensituation nicht allein den Kräften des freien Marktes überlassen. In derartigen Situationen sind für eine Übergangszeit an der Realität orientierte, lenkende Eingriffe erforderlich. Hierfür wird die Mitwirkung des öffentlichen wie auch des privaten Sektors des Westens benötigt. Die Finanzierungsprobleme müssen und können auf eine Weise gelöst werden, die sich positiv auf die Entwicklung der Wirtschaftsmechanismen in den Reformländern auswirkt und keine übermäßigen Störungen auf den internationalen Kapitalmärkten oder in den staatlichen Haushalten der Industrieländer verursacht.

Ein Weg, den Kreditbedarf der Wirtschaften im östlichen Europa wesentlich zu verringern, ist die Förderung privatwirtschaftlicher Investitionen, aber sie haben nur dann Aussicht auf Erfolg, wenn die Voraussetzungen für die unternehmerische Tätigkeit stimmen. Damit solche Investitionen sich rentieren können, muß den Waren aus Osteuropa freier Zugang zu den westlichen

Märkten gewährleistet werden. Der schnellste Weg, die Selbstfinanzierung der Wirtschaftsreformen in den Ländern Osteuropas zu erleichtern, ist, den Ländern durch Abbau der bestehenden Handelshindernisse Möglichkeiten zur Erhöhung ihrer Exporteinnahmen zu bieten. Es ist nicht damit getan, daß die Länder im östlichen Europa Maßnahmen zur Herstellung echten Wettbewerbs auf ihren Märkten ergreifen, sondern auch Westeuropa ist gefordert, seine Märkte für die wichtigsten Exportprodukte der Länder des östlichen Europa zu öffnen. Wir Finnen haben hierin bereits Erfahrung. Auf längere Sicht ist die Zunahme des Handels für alle vorteilhafter als eine verstärkte Hilfestellung.

Finnland und Deutschland haben aufgrund ihrer geopolitischen Lage ein natürliches Interesse an der Förderung ihrer Nachbargebiete. Für eine ausgeglichene Entwicklung in ganz Europa ist jedoch eine umfassende internationale Beteiligung erforderlich. Die intensiven Verhandlungen zwischen den Ländern der EFTA und der EG über die Bildung eines Europäischen Wirtschaftsraumes wurden am 22. Oktober 1991 in Luxemburg erfolgreich zum Abschluß gebracht. Der EWR-Vertrag gewährleistet, daß Finnland ab Anfang 1993 Zugang zum umfangreichsten Binnenmarkt der Welt haben wird. Mit ihm erhalten Güter, Dienstleistungen, Kapital und Personen Freizügigkeit auf dem Gebiet von 19 Ländern mit etwa 380 Millionen Menschen. Auch auf nichtwirtschaftlichen Sektoren entstehen völlig neue Möglichkeiten zur Zusammenarbeit in Europa.

Die öffentliche Diskussion über eine EG-Mitgliedschaft kam in Finnland später in Gang als in einigen anderen EFTA-Ländern. In Finnland wurde ein detaillierter Bericht über die Vor- und Nachteile einer EG-Mitgliedschaft aus außen-, wirtschafts- und gesellschaftspolitischer Sicht und unter Berücksichtigung unserer Rechtsordnung und unseres politischen Systems erstellt. Diesen Bericht hat die Regierung unserem Parlament, dem Reichstag, im Januar 1992 als Grundlage der Diskussion über eine EG-Mitgliedschaft vorgelegt. Anfang März 1992 erfolgte die offizielle Mitteilung der Regierung an den Reichstag über den Beschluß, die Mitgliedschaft in der EG zu beantragen. Am 18. März wurde der Beschluß der Regierung nach einer Debatte vom Reichstag angenommen und der EG-Antrag Finnlands bereits am selben Abend nach Brüssel gebracht.

Nach einer Phase des rapiden Wachstums in den achtziger Jahren, das am Ende zu einer Überhitzung geführt hat, befindet sich die finnische Volkswirtschaft in einer Krise. Die Hochkonjunktur ging im Jahre 1990 schnell in eine Rezession über. Die Exportpreise sanken, die Rentabilität der Unternehmen wurde geschwächt und die Investitionen gingen zurück. Die hochgeschnellte

Verschuldung und die äußerste rapide angestiegenen Zinsen dämpften vor allem die Nachfrage der privaten Haushalte. Die dreiprozentige Zuwachsrate der Produktion Anfang des Jahres ging Ende in einen gleichgroßen Produktionsrückgang über. Die Arbeitslosigkeit nahm rasch zu.

Im Laufe des Jahres 1991 hat sich die wirtschaftliche Situation noch verschlechtert. Die Ostexporte haben beinahe aufgehört, und auch in vielen westlichen Ländern ist die Nachfrage zurückgegangen. Die Exporte nach Großbritannien und Schweden werden aus konjunkturellen Gründen im Vergleich zu 1990 abnehmen. Eine erfreuliche Ausnahme stellen die Exporte nach Deutschland dar. Die Gesamtproduktion ist weiterhin rückläufig und wird - über das ganze Jahr 1991 betrachtet - fünf Prozent unter dem Niveau des Jahres 1990 liegen. Bei diesem etwas düsteren Bild von der Lage der finnischen Volkswirtschaft darf nicht vergessen werden, daß zum einen viele von diesen Problemen einen vorübergehenden Charakter haben und daß zum anderen die Grundlagen für eine gesunde Volkswirtschaft nach wie vor unangetastet sind. Finnland hat eine Bevölkerung mit einem hohen Ausbildungsstand, eine moderne Industrie mit ausreichenden Rohstoffressourcen in wichtigen Bereichen, eine gute Infrastruktur und eine wachsende High-tech-Industrie, u.a. im Telekommunikationsbereich.

Die Integration in Europa, die völlig neuen Verhältnisse im Handel mit den GUS-Ländern, die Hilfe, die Ost- und Mitteleuropa benötigen, die GATT-Verhandlungen sowie aus ihnen resultierende Anpassungsbedürfnisse in nahezu allen Wirtschaftsbereichen stellen Probleme dar, bei deren Lösung wir in Finnland Visionen, die über die Jahrtausendwende hinausgehen, haben müssen.

Welche Gefahren und Möglichkeiten stehen uns bevor? Die Integration Europas akzentuiert die Bedeutung der Märkte als Lenkungsfaktoren der Wirtschaft. Die geschlossenen Sektoren der finnischen Wirtschaft sollten zielbewußt für den Wettbewerb geöffnet und verschiedene Regulierungssysteme aufgelöst werden. Import- und Investitionshemmnisse müssen ebenso abgebaut werden. Der Druck auf den öffentlichen Sektor, seine Tätigkeit leistungsfähiger zu gestalten und die Aufgabenteilung mit dem privaten Sektor zu überprüfen, nimmt zu. Für die volkswirtschaftliche Entwicklung in den nächsten Jahren ist es von zentraler Bedeutung, daß unsere Kosten und Preise im Vergleich zu mit uns konkurrierenden Ländern sich nicht ungünstig entwickeln. Der Zuwachs bei den öffentlichen Ausgaben muß zwecks Sanierung der wirtschaftlichen Strukturen schnellstens aufgehalten werden.

Viele der soeben erwähnten Veränderungen, von denen mehrere - besonders, wenn sie während einer wirtschaftlichen Rezession durchgeführt werden - sehr schmerzhaft sind, wurden bereits in Angriff genommen. Der Haushaltsplan für das Jahr 1992, die Aktivität Finnlands bei den erfolgreich beendeten Verhandlungen zwischen den EFTA-Ländern und der EG zur Schaffung eines Europäischen Wirtschaftsraumes (EWR) sowie unser Einsatz bei der Uruguay-Runde des GATT zielten und zielen auf die Durchführung dieser Veränderungen. Zauberkünste sind nicht möglich - Finnland muß seine Wettbewerbsfähigkeit zurückerlangen und sich in Bereichen profilieren, in denen es traditionell über ein hohes Maß an Know-how verfügt.

Der Warenaustausch zwischen Finnland und Deutschland ist in den vergangenen Jahren weiter ausgebaut worden. Er wird auch künftig zu den permanenten Faktoren in den wirtschaftlichen Beziehungen zwischen unseren Ländern gehören. Hierfür spricht die Tatsache, daß unser Export nach Deutschland sich diversifiziert hat und daß die Zahl der Unternehmen, die im Handel mit Deutschland engagiert sind, schnell angestiegen ist. Außerdem haben sich finnische Industrieunternehmen und Firmen mehrerer Wirtschaftszweige während der letzten Jahre in erheblichem Umfang in Deutschland etabliert. Insgesamt handelt es sich um etwa 300 Unternehmen. In den neuen Bundesländern haben die Finnen die Investitionsmöglichkeiten untersucht und auch investiert. Die Entwicklung dauert noch an. Der Ministerpräsident Finnlands besuchte Ende Oktober 1991 Sachsen.

Ein erfreulicher Trend in Finnland ist, daß in den Wirtschaftskreisen und auch über sie hinaus das allgemeine Interesse an Deutschland stark zunimmt. Aber ein bedeutendes Problem haben wir noch: Die geringen Deutschkenntnisse der Finnen. Jedoch bahnt sich auch in dieser Hinsicht eine Erleichterung an, obgleich langsam. Innerhalb von zwei Jahren hat Deutsch als erste Fremdsprache in der Gunst der Schüler die schwedische und die französische Sprache überholt. Nur Englisch ist bei den Jugendlichen beliebter. Für Erwachsene jedoch, die Deutsch lernen oder ihre Deutschkenntnisse verbessern wollen, ist es infolge der überhöhten Nachfrage in den größeren Städten nahezu unmöglich, qualifizierten Sprachunterricht zu erhalten. Alles weist darauf hin, daß die deutsche Kultur schnell wieder die Stellung zurückerobert, die sie in Finnland früher einmal besaß.

Wenn wir die gesamte Welt von morgen aus finnischer Sicht betrachten, stellen wir fest, daß der Machtkampf zwischen Ost und West, der alle bedeutenden regionalen Krisen beeinflußte, jetzt zu Ende ist. Wir sind auf dem Weg zu einer globalen Integration bei gleichzeitiger Einführung von Hochtechnologie. Staaten sind zunehmend voneinander abhängig. Gleichzeitig bauen jedoch wirtschaftlich und technologisch starke Länder ihren Vorsprung und internationalen Einfluß aus.

Armut und Unterernährung nehmen in den Entwicklungsländern zu. Gleichzeitig benötigen Mittel- und Osteuropa Hilfe. Aristoteles sagte, daß Armut der Vater der Revolution und Kriminalität sei. Man muß dem alten Philosophen recht geben. Globale Partnerschaft wird jetzt gefordert. Der Konflikt zwischen der Ökonomie der Menschen und der Ökologie der Natur muß gelöst werden. Sonst kann die Existenz der Menschheit gefährdet sein.

Onur Öymen
Botschafter der Republik Türkei
(26. November 1991)

In der Türkei sind neue Entwicklungen im Gange, die sehr interessant nicht nur für die Politik innerhalb unseres Landes, sondern auch für unsere künftigen Beziehungen zu Europa sind. Zum erstenmal innerhalb der letzten zehn Jahre haben wir eine Koalitionsregierung. Es ist eine große Koalition zwischen der konservativen "Partei des Richtigen Weges" von Ministerpräsident Demirel und der sozialdemokratischen Partei von Herrn Inönü. Beide Parteien haben ein Koalitionsprotokoll erstellt, welches sehr wichtig für unsere politische Situation und Geschichte ist, da es ein historisches Dokument darstellt. Der Kern dieses Dokuments ist eine grundlegende Reform sowohl auf dem Gebiet der Menschenrechte als auch auf dem der Wirtschaft.

In unserer Geschichte gibt es zwei sehr wichtige Einschnitte. Der erste war 1923 die Gründung unserer Republik durch Atatürk nach 600 Jahren osmanischer Herrschaft. Der zweite war die Schaffung eines Mehrparteiensystems nach westlichem Modell im Jahre 1946. Nun hat sich die Regierung entschieden, der Türkei eine der besten Menschenrechtsgesetzgebungen innerhalb Europas zu geben. Dies ist eine Voraussetzung für das Ziel der Regierung, eine neue Verfassung nach dem Modell der Charta von Paris und der KSZE-Schlußakte mit allen Menschenrechten zu schaffen, von denen in diesen und anderen internationalen Dokumenten die Rede ist. Dazu werden wir alle nationalen türkischen Gesetze prüfen, die sich nicht im Rahmen dieser internationalen Vereinbarungen befinden. Wir haben zum ersten Mal in unserer Regierung einen Menschenrechtsminister. Dieser Menschenrechtsminister war vor kurzem zusammen mit dem Justizminister in dem Gefängnis von Eskischehir. Es gab dort Probleme bezüglich der Gefängnisbedingungen, die nicht den europäischen Standards entsprachen, und die neue Regierung hat entschieden, dieses Gefängnis zu schließen.

Sie wissen, daß es in unseren Beziehungen zu Europa und der EG immer um die Frage der Menschenrechte ging und es viel Kritik an der Türkei gegeben hat. Mit den jüngsten Entwicklungen hoffen wir nun, daß diese Fragen nicht mehr auf der Tagesordnung stehen werden und wir uns anderen Problemen zuwenden können. Die Verbesserung der Menschenrechtssituation allein reicht nicht aus, sondern es muß auch auf anderen Gebieten Fortschritte geben. Wie sieht es zum Beispiel auf dem Feld der Universitäten aus? Bis heute war zum Beispiel die Mitarbeit von Professoren und Studenten in politischen Parteien verboten. Nun können sie uneingeschränkt Parteien beitreten und sich in Ämter wählen lassen.

Die Jugend- und Frauenorganisationen der Parteien waren seit der Militärregierung verboten. Auch dies wurde jetzt geändert. Die Pressefreiheit und die Freiheit der Berichterstattung werden in Zukunft gewährleistet, das Fernsehmonopol der Regierung wird abgeschafft. Das Wahlrechtsalter wird von 21 auf 18 Jahre abgesenkt. Im gewerkschaftlichen Bereich werden wir in Zukunft alle ILO-Regeln beachten, so daß es auf diesem Gebiet eine kleine Revolution geben wird. Die Staatsbeamten, die sich bisher nicht gewerkschaftlich organisieren konnten, werden in Zukunft diese Möglichkeit haben.

Auch im Bereich der ethnischen Freiheit wird es neue Maßnahmen geben. Aufgrund der inneren als auch der äußeren Kritik an der bisherigen Haltung der Türkei in dieser Frage hat die neue Koalitionsregierung beschlossen, daß alle türkischen Mitbürger und alle ethnischen Gruppen ein Recht auf die Entwicklung ihrer ethnischen Identität, Kultur und Sprache haben. Alle Gesetze, die dies bislang beschränkt haben, werden annulliert.

Im folgenden möchte ich nun auf unsere Europapolitik eingehen. Die neue Koalition sagte in ihrem Regierungsprogramm, daß unser Ziel die Vollmitgliedschaft in der EG ist. Diese wurde schon 1963 im Assoziierungsabkommen mit der EG in Aussicht genommen. Die Menschenrechtsfrage, welche die Kommission der EG in ihrem Bericht über die Türkei als Hinderungsgrund für die Mitgliedschaft genannt hat, wird bald Geschichte sein.

Die Entwicklung unserer Beziehungen zu Europa weist verschiedene Aspekte auf. Ich denke besonders an die politischen Aspekte, die Sicherheitsaspekte und die wirtschaftlichen Aspekte. Die Türkei hat eine besondere Position in seinen Beziehungen zu Europa. Ein sehr großer Teil ihrer Einwohner, neunundneunzig Prozent, sind Mohammedaner. In verschiedenen europäischen Organisationen sind wir bereits Vollmitglied, im Fall des Europarates seit seiner Gründung 1949; wir sind in der NAT0 seit 1952; wir waren von Anfang an in der OECD, wir sind in anderen europäischen Organisationen wie EUREKA zum Beispiel. Und wir sind der EG assoziiert. Aber wir sind das einzige Land, das zugleich auch Mitglied der Islamischen Konferenz ist, der 47 Ländern angehören. Die Türkei ist das einzige westlich-demokratische, laizistische und marktwirtschaftliche unter allen diesen islamischen Ländern. Deshalb denken wir, daß die Türkei eine Brücke ist zwischen Europa und dem Nahen Osten sowie anderen islamischen Ländern.

Es gibt eine zweite Dimension. Wenn wir über das Europa von heute sprechen, können wir nicht nur an das Europa in den aktuellen europäischen geographischen Grenzen denken. Wir können nicht an Europa denken, ohne das politische und wirtschaftliche Umfeld zu berücksichtigen. Europa ist keine Insel in der Welt. Wenn wir also an das Umfeld denken, haben wir die islamische Welt in Nordafrika und im Nahen Osten. Ich habe schon gesagt, daß wir uns als eine Brücke zwischen beiden Seiten fühlen. Die Türkei könnte ein Modellstaat sein. Das ist auch wichtig für die südlichen sowjetischen Republiken türkisch-islamischen Ursprungs, in denen fast 50 bis 60 Millionen Menschen leben. Alle diese Republiken suchen nach einem Modell, z.B. in der Frage des Alphabetes. Zur Zeit benutzen sie für ihre türkischen Dialekte noch das kyrillische Alphabet. Jetzt suchen sie nach einem neuen Alphabet. Ein Teil sagt, es muß das lateinische Alphabet sein, andere sagen, nein, das arabische Alphabet. So suchen sie nach einem Modell, und die Türkei ist unter allen islamischen Ländern das einzige Land mit lateinischem Alphabet. Ein interessantes Beispiel: Es gibt eine Zeitung in Baku in Aserbaidschan. Unter demselben Titel "Türkisches Land" drucken sie drei Ausgaben, eine in kyrillischer, eine in lateinischer und die dritte in arabischer Schrift. Ich glaube, daß in diesen Ländern so bald wie möglich über ein neues Alphabet entschieden werden muß, und ich hoffe, daß sie sich für das lateinische Alphabet entscheiden.

Dies ist nur ein Beispiel, ähnliches gilt für das wirtschaftliche, politische und parlamentarische System. Wir denken, daß Westeuropa und die Türkei gemeinsame Interessen in unseren Beziehungen mit diesen Ländern haben, um sie über das europäische System und seine Ergebnisse in einem islamischen Land zu informieren - schließlich ist die Türkei ein laizistisches Land, aber mit islamischer Bevölkerung. Alle diese Fragen müssen wir also einbeziehen, wenn wir an Europa denken.

Was die EG angeht, so redet man heutzutage über den Maastricht-Gipfel, über die politische und wirtschaftliche Einheit und den Binnenmarkt. Für uns sind alle europäischen Länder wichtig, und wir haben politische und wirtschaftliche Beziehungen sowohl zu EG- als auch zu Nicht-EG-Ländern, zu osteuropäischen Ländern, zur Sowjetunion und den baltischen Ländern. Zu den Balkanstaaten - Sie wissen von den sehr negativen Entwicklungen in Jugoslawien - haben wir ganz besondere Beziehungen. Der Sowjetunion haben wir einen Kredit von 1,2 Milliarden Dollar eingeräumt, ähnlich machen wir es mit anderen osteuropäischen Ländern. So haben wir mit der EG gemeinsame Interessen in Osteuropa, auf dem Balkan und in anderen Ländern. Obwohl wir ein Assoziierungsabkommen haben, muß ich sagen, daß wir in unseren Beziehungen mit der EG einige Schwierigkeiten haben. Diese bestehen seit Anfang der Militärregierung im Jahr 1980 bis heute. Wir erhalten in der Türkei keine wirtschaftliche und finanzielle Hilfe seitens der EG. Es bestehen viele Hindernisse und Schwierigkeiten für unseren Außenhandel, wie z.B. für unseren Export von Textilien. Fragen wir nach den Ursachen für diese Schwierigkeiten. Seit Anfang 1984 haben wir keine Militärregierung mehr. Man sagt uns, daß es in der EG immer ein griechisches Veto gegen die Türkei gegeben hat. Man muß innerhalb der EG mit Einstimmigkeit entscheiden; wenn ein Land dagegen ist, kann man nichts machen. Die Folge ist, daß alle neuen Mitglieder und andere europäischen Länder finanzielle Hilfe und sonstige Unterstützung von der EG bekommen.

Die Türkei hat keine solche Unterstützung. Aber was war das interessante Ergebnis? Die Türkei hat in diesen letzten zehn Jahren ohne eine solche Unterstützung durch die EG eine sehr große wirtschaftliche Reform durchgeführt, eine gründliche Außenhandelsreform. Das Ergebnis ist, daß das durchschnittliche Wachstum unseres jährlichen Bruttosozialprodukts in den letzten zehn Jahren höher war als in allen EG-Ländern, und zwar mit sechs Prozent zweimal höher als der EG-Durchschnitt von fast drei Prozent. Nehmen wir das Beispiel von Griechenland. Die durchschnittliche jährliche Wachstumsrate von Griechenland war in den letzten zehn Jahren 1,5 Prozent, und in diesen Jahren hat Griechenland eine EG-Unterstützung in Höhe von zwölf Milliarden Ecu bekommen. Zur Erinnerung: die Türkei hat ohne EG-Unterstützung ein Durchschnittswachstum von sechs Prozent erzielt. Ich meine, daß, von den Menschenrechtsschwierigkeiten abgesehen, unser Wirtschaftspotential ganz gut ist für eine EG-Mitgliedschaft. Unser Bruttosozialprodukt ist höher als das Portugals, Griechenlands und Irlands, unsere Investitionen, Sparkonten, Industrieproduktion und unsere Energieproduktion sind höher. Ich meine, daß die wirtschaftlichen Bedingungen in der Türkei besser sind als bei einigen neuen Mitgliedern der EG. Man spricht über Schwierigkeiten eines türkischen Beitritts. Aber was wären die Vorteile? Man spricht interessanterweise weniger über die Vorteile einer EG-Mitgliedschaft der Türkei für die EG. Es gibt in

Bonn das Zentrum für Türkeistudien, das speziell zu diesem Thema eine besondere Studie durchgeführt hat. Sie besagt im Ergebnis, daß die EG von einer türkischen Teilnahme große Vorteile hätte.

Dann gibt es noch einen anderen Aspekt der künftigen Beziehungen der Türkei zur EG und Europa. Unser Minister fragte mich vor ein paar Monaten, wie denken Sie über eine türkische EG-Mitgliedschaft. Ich antwortete, Herr Minister, wir sind schon in der EG. Die Zahl der Türken, die in der EG seit vielen Jahren leben, ist fünfmal höher als die Bevölkerung von Luxemburg, d.h. es gibt fünfmal mehr Türken in der EG als Luxemburger. Man spricht über die große Zahl von türkischen Arbeitnehmern in Europa. Dagegen spricht niemand über türkische Arbeitgeber in Europa. Ich kann Ihnen ein paar Zahlen aus Deutschland nennen. Allein in Deutschland haben wir rund 35.000 türkische Firmen mit 125.000 Arbeitnehmern. Es gibt heute türkische Firmen in Ostdeutschland, in denen nur deutsche Arbeiter tätig sind. Der Umsatz von türkischen Firmen in Deutschland beträgt fast 30 Milliarden DM, weitere 30 Milliarden DM sind auf Sparkonten von Türken bei deutschen Banken. Interessant ist, daß türkische Investitionen in Deutschland sechsmal höher sind als die gesamten bisherigen deutschen Investitionen in der Türkei. Unsere Investitionen in Deutschland betragen sechs Milliarden DM. Das sind unsere Beziehungen mit Europa. Ich meine, daß die politischen Beziehungen, die Abkommen usw. eine Sache sind, die Beziehungen in der Realität aber eine andere. Wenn wir über die Beziehungen in der Realität, über wirtschaftliche Beziehungen sprechen, dann sind wir schon in Europa.

Ein weiterer sehr wichtigen Aspekt ist die Frage der zukünftigen europäischen Sicherheit. Gewiß sagen die Politiker aller europäischen Länder, daß die NAT0 die vorrangig für die Sicherheit Europas ist und immer bleiben wird. Das ist richtig und als NATO-Mitglied tragen wir zur Sicherheit in Europa bei. Aber es gibt auch neue Ideen über die Westeuropäische Union. Die Türkei hat vor vier Jahren gesagt, daß sie an der WEU teilzunehmen bereit ist. Was unsere Freunde in Europa darüber denken, ist sehr wichtig. Bis vor ein paar Monaten sagte man uns: Ja, wir wissen, daß die Türkei Vollmitglied in der WEU werden muß. Kürzlich fand z. B. ein Seminar in Königswinter statt mit vielen deutschen Politikern und Politikern aus anderen europäischen Staaten. Wenn man nach der türkischen Teilnahme fragte, sagten alle ja, natürlich muß die Türkei an der WEU teilnehmen. Aber heute sehen wir, daß es neue Ideen in Europa gibt. Das ist neu und zum Teil eine Überraschung für uns. Lassen Sie mich sagen, daß es eine Überraschung für uns war, als wir den letzten deutsch-französischen Vorschlag über die Zukunft der WEU gelesen haben. In diesem Vorschlag hieß es, daß man die WEU unter den Schirm der EG stellen müsse. Alle Staaten, die heute Mitglied sowohl in der NATO wie in der EG sind, sollen demnach an der WEU als Vollmitglied teilnehmen können. Andere EG-Länder, die nicht NATO-Länder sind, können ein Assoziierungsstatut haben. Die NATO-Länder, die nicht in der EG sind wie die Türkei und Norwegen, sollen an den WEU-Tätigkeiten im Rahmen ihrer eigenen Sicherheitsinteressen mitwirken. Die Türkei würde in der dritten Gruppe sein. Wir haben darüber schon mit deutschen Politikern und mit Politikern in anderen europäischen Ländern gesprochen. Wir denken, daß der europäische NATO-Sicherheitspfeiler alle europäischen NATO-Länder umfaßt. Wir sind nicht gegen eine europäische Zusammenarbeit im Rahmen der NATO, wir befürworten und unterstützen solche Entwicklungen. Ein europäischer NATO-Pfeiler, der nur EG-Länder oder die EG-Länder, die auch NATO-Länder sind, umfassen würde, glauben wir, läge nicht im Rahmen unseres gemeinsamen Sicherheitsinteresses. Das ist ein sehr wichtiger Punkt. Wenn wir an das Europa des nächsten Jahrhunderts denken, das Europa der künftigen Jahre, müssen wir sicher unsere gemeinsamen Sicherheitsinteressen berücksichtigen. Unsere gemeinsame Solidarität und Zusammenarbeit im Rahmen der NATO waren dafür ausschlaggebend, daß die Organisation in den letzten 40 Jahren erfolgreich war. Bestimmte Bedingungen in der Welt, in Osteuropa, sind heute nicht mehr dieselben, aber beim NATO-Gipfel in Rom letzte Woche und in Kopenhagen im letzten Jahr wurde auch gesagt, daß die NATO die wichtigste Sicherheitsorganisation in Europa ist, und wir haben weiterhin sehr wichtige gemeinsame strategische Interessen. Sie wissen, welche Rolle die Türkei während des Golfkrieges gespielt hat. Sie wissen auch, daß das erfolgreiche Ergebnis nicht dasselbe gewesen wäre ohne die aktive türkische Teilnahme in diesem Gebiet. Es war nicht in unserem Interesse allein, sondern in unserem gemeinsamen Interesse.

Es gibt daneben noch einige andere Aspekte unserer künftigen Beziehungen zu Europa, z.B. kulturelle Aspekte. Ich glaube, daß wir nochmals unsere gemeinsamen kulturellen Interessen und unseren gemeinsamen kulturellen Ursprung studieren müssen. Wenn man mich fragt, ob die Türkei von derselben Kultur ist oder von einer anderen Kultur, lautet meine Antwort *jein*. Ich meine, daß wir unsere eigene Kultur haben. Wir hatten viele Zivilisationen in Anatolien, und diese sind zum Teil der Ursprung der heutigen westlichen Zivilisation. Wir haben so viele gemeinsame kulturelle Interessen, und es hat so zahlreiche gegenseitige kulturelle Einflüsse zwischen der Türkei und anderen europäischen Ländern gegeben. Wir haben ein interessantes Institut in Frankfurt. Es gibt dort einen türkischen Professor, der über den gegenseitigen Einfluß von islamischer und europäischer Kultur arbeitet, den islamischen Ursprung der europäischen Wissenschaft. Viele Instrumente, die Sie in Europa kennen, in der Medizin, der Chirurgie, in Astronomie und Geographie, kommen aus dem Orient. Nun das letzte Wort zur Kultur. Wir haben eine menschliche Brücke zwischen Westeuropa und der Türkei, das sind die Türken, die in Europa leben. Vielleicht wissen Sie, daß schon 1,8 Millionen Türken von Deutschland in die Türkei zurückgekehrt sind. Sie sind der andere Pfeiler unserer Brücke.

Heutzutage denken die Politiker in Europa über unsere gemeinsame Zukunft nach, über die künftige europäische Architektur. Wenn die Politiker in Maastricht über unsere gemeinsame Zukunft entscheiden, entscheiden sie nicht nur über unsere Probleme von heute, sondern auch über die künftiger Generationen. Deshalb hoffen wir, daß wir in Europa solche Staatsmänner haben, die eine historische Perspektive haben und die gemeinsamen Interessen von Westeuropa und der Türkei berücksichtigen. Türkisch-deutsche Beziehungen sind in diesem Rahmen sehr wichtig, weil die türkische Öffentlichkeit sich sehr freundschaftlich mit Deutschland verbunden fühlt. Wenn es eine negative Information von anderen westlichen Ländern gibt, hat dies wenig Einfluß in der Türkei, aber wenn es von Deutschland kommt, hat es einen sehr großen Einfluß. Es hat in unserer Geschichte niemals eine Schwierigkeit in unseren Beziehungen gegeben. Die Deutschen sind die besten Freunde der Türkei, und wir denken, daß Deutschland nach der Vereinigung eine besondere Verantwortung für die neue europäische Architektur und die europäischen Beziehungen insgesamt hat. Deshalb hoffen wir, daß die deutschen Politiker an unsere künftigen gemeinsamen Interessen denken werden.

Gábor Erdödy
Gesandter der Republik Ungarn
(3. Dezember 1991)

Seitdem im Herbst 1989 die letzte ungarische kommunistische Regierung durch die Opposition, durch das ungarische Volk, gezwungen worden war, die Grenze für die ostdeutschen Flüchtlingen zu öffnen, begann in Ungarn und in Mitteleuropa ein sehr intensiver neuer Prozeß, der in einer Kettenreaktion ruhige oder blutige Revolutionen stimuliert hat. Seit dieser Zeit durchlebt Ungarn eine dauerhafte Modernisierungskrise, die als natürliche Folge einer bolschewistischen Diktatur von 40 Jahren ganz bestimmt noch einige Zeit dauern wird.

Diese Krise kann auch als Herausforderung aufgefaßt werden, bei der unser Land und unsere Region etwas ganz einzigartiges in der Geschichte versuchen, nämlich von einer diktatorischen, kommunistischen Planwirtschaft in Richtung Rechtsstaat, politische Demokratie und soziale Marktwirtschaft zu kommen. Für diese Entwicklung haben wir kein Beispiel, kein Modell vor uns. Alle Schritte müssen wir selbst entdecken, mit allen Fehlern und mit allen solchen Problemen, die sehr oft auch nicht im voraus eingeplant werden können.

In dieser Modernisierungskrise versucht die ungarische Regierung, den größten Wunsch, sich in Europa zu integrieren, zu verfolgen, also einem europäischen Modell zu entsprechen. Und das ist einer der sehr wenigen gemeinsamen Wünsche in Ungarn, auf den sich die verschiedenen politische Kräfte und gesellschaftliche Schichten noch verstehen können. Dazu müssen wir die innenpolitischen, außenpolitischen, sicherheitspolitischen und wirtschaftlichen Herausforderungen beantworten. Alle diese Versuche stehen im Zusammenhang mit der Forderung, die europäischen Normen auch in Ungarn einzuführen und selbstverständlich zu machen.

Im innenpolitischen Bereich hat Ungarn einige wichtige Ergebnisse erreicht, solche die dem europäischen Modell schon entsprechen. Aber es gibt natürlich noch viele Probleme, innere Widersprüche und Gegensätze. Was ich aber für am wichtigsten halte: In Ungarn existiert heute eine stabile politische Demokratie. Es gibt seit den ersten demokratischen Wahlen nach 1945 wieder eine stabile Mehrheitskoalitionsregierung von 58 Prozent.

Wichtig für die Stabilisierung ist, daß es im ungarischen Parlament nur sechs Parteien gibt und nicht eine Zersplitterung der politischen Kräfte, bei der eine eindeutige Mehrheit zu schaffen relativ problematisch wäre. Ebenso wichtig ist, daß es in diesem Parlament eine sehr starke Opposition gibt. Eine Opposition, die eigentlich fähig wäre, wenn die Wähler so entscheiden würden, die Regierung zu übernehmen. In Ungarn ist damit die Hauptvorbedingung für einen Wechsel und eine gute Grundlage für Parlamentarismus und Demokratie mit einer Kontrolle der Macht entstanden. Ein anderes wichtiges Zeichen für unsere stabile Demokratie ist auch, daß sich das ungarische Volk bei den Kommunalwahlen sehr reif verhielt und einem Beispiel gefolgt ist, das in den Vereinigten Staaten, in Westeuropa, auch in Deutschland Tradition hat, nämlich auf kommunaler Ebene eher politische Kräfte der parlamentarischen Opposition zu wählen und auch dadurch ein Gleichgewicht entstehen zu lassen.

Ein dritter Faktor sorgt für eine Garantie von Demokratie und Machtgleichgewicht, das Verfassungsgericht, das jetzt in Ungarn vielleicht eine politisch überdimensionierte Rolle spielt. Es gibt, und das ist eine Folge der Unerfahrenheit der politischen Kultur bei uns, in relativ vielen Fragen und schon verabschiedeten Gesetzen, Meinungsunterschiede zwischen parlamentarischer Mehrheit und Opposition oder zwischen Mehrheit und Staatspräsident, und so muß oft in wichtigen Grundfragen und grundlegenden Gesetzen das Verfassungsgericht entscheiden, wer Recht bekommt. Durch diese verschiedenen Kontrollebenen erhalten aber die Gesetze schließlich auch eine größere Legitimität und so kann die Demokratie und die Verfassung in der Praxis noch besser gesichert werden. Insgesamt glaube ich, daß es in Ungarn eine stabile Demokratie gibt, eine stabile Regierungsmehrheit, eine starke Opposition und ein schon funktionierendes politisches System.

Ergänzend ist vielleicht wichtig zu erwähnen, daß unter den sechs parlamentarischen Parteien fast alle wichtigen Schattierungen des europäischen Parteiensystems vertreten sind. Es gibt Christlichdemokratische, Christlichsoziale, Liberale, Konservativliberale, Sozialliberale, Radikalliberale, Bürgerlichradikale und auch eine sozialistische Richtung. Es ist leider auch eine rechtsradikale Richtung erschienen. Sie spielt aber Gott sei Dank bis heute zumindest im Parlament nur eine marginale Rolle, hoffentlich wird sie auch in der Gesellschaft keine größere Rolle bekommen. Was einen wichtigen Unterschied zum westeuropäischen Parteiensystem darstellt, ist ein Mangel an klassischer Sozialdemokratie. Es ist natürlich auch eine Folge der bolschewistischen Diktatur von 40 Jahren, daß in Ungarn alle politischen Strömungen und Parteien, die versuchen, sich "sozial" oder "sozialdemokratisch" zu nennen, sofort verdächtig sind und in der Bevölkerung keine Popularität bekommen. Es gibt zwar sozialdemokratische Bestrebungen in Parteien des Parlaments, auch außerhalb des Parlaments, aber eine lebensfähige politische Richtungspartei ist nicht erschienen, und ich glaube, daß auch noch in einigen Jahren dafür die Verhältnisse nicht günstig sein werden.

Das zweite wichtige Thema der Annäherung an das europäischen Modell sind die sicherheitspolitischen Fragen und die in diesem Zusammenhang stehenden außenpolitischen Bestrebungen. Nach der Revolution hat die ungarische Regierung mit einer sehr breiten Zustimmung auch der meisten Oppositionsparteien eine neue außenpolitische Orientierung eingeführt. Nach der Ausrichtung auf die Sowjetunion, Osteuropa und das sogenannte sozialistische System hatte die ungarische Regierung als Hauptforderung die Annäherung an Westeuropa formuliert. Die ungarische Regierung will vor allem die Beziehungen zu Westeuropa und zur europäischen Gemeinschaft stark ausbauen. Das bedeutet natürlich nicht, daß die osteuropäischen Beziehungen und die südeuropäischen Kontakte keine wichtige Rolle spielen werden. Denn die gefährlichsten sicherheitspolitischen Herausforderungen können wir durch die Veränderungsprozesse in der ehemaligen Sowjetunion und bei unseren südlichen Nachbarn erfahren. Nach der Auflösung des Warschauer Pakts ist in unserer Region ein sicherheitspolitisches Vakuum entstanden. Bis dieses Vakuum positiv gefüllt ist, müssen wir als eine der wichtigsten Aufgaben der ungarischen Außenpolitik Übergangslösungen suchen.

Eine beruhigende Lösung wäre nach meiner Ansicht für ganz Europa, und auch für die drei Refomstaaten von Mittelosteuropa, wenn in einer bestimmten Form eine sicherheitspolitische Garantie der NATO auf diese Region erweitert werden könnte. Wir wissen natürlich, daß jetzt ein Eintritt, eine volle Integration, unvorstellbar ist. Wir wissen nicht, wann er verwirklicht werden kann. Aber ich glaube, daß eine endgültige Lösung nur in diesem Rahmen vorstellbar ist. Hierzu begrüßen wir auch die Beschlüsse von Rom, welche natürlich weit von unseren Wünschen entfernt sind, aber doch Schritte sind zur Öffnung nach Mittelosteuropa darstellen. Solange das gemeinsame Europa mit einer politischen Wirtschafts-, Währungs- und Sicherheitsunion entsteht, müssen wir einerseits durch bilaterale Verträge die Beziehungen mit anderen Ländern wie Deutschland organisieren. Das ist auch eine Art, die sicherheitspolitische

Situation zu stabilisieren. Andererseits müssen wir die regionale Zusammenarbeit ausbauen.

Schon vor der Revolution war der Pentagonalen und später - ergänzt durch Polen - der Hexagonalen die Rolle zugedacht, sicherheitspolitisch eine Zusammenarbeit für die Region auszuarbeiten. Das möchten wir auch weiter pflegen, obwohl der Zerfall Jugoslawiens ein sehr schweres Hindernis ist. Aber auch die spezifische Zusammenarbeit zwischen Polen, der Tschechoslowakei und Ungarn hat das Ziel, eine sicherheitspolitisch bessere Situation zu schaffen und die Interessen und die Energie zu koordinieren, um die Integration in Europa zu erleichtern.

Auf der dritten Ebene der europäischen Integration ist durch die Verabschiedung des Assoziationsvertrages vor einigen Tagen ein sehr wichtiger Fortschritt erzielt worden. Wir hoffen sehr, daß unsere Länder nach einer Übergangsperiode auch die Vollmitgliedschaft erreichen können. Den Zeitpunkt vorherzusagen, ist natürlich sehr schwer, aber wir wünschen uns, daß wir binnen zehn Jahren so weit sind.

Der Integrationsprozeß in Westeuropa ist bedeutend für die Umgestaltung ganz Europas. Sehr viele Prozesse, sehr viele Erneuerungen in unserer Region haben uns ein wenig unvorbereitet erreicht. Wir erfahren täglich ganz neue Situationen, die man sich früher gar nicht vorstellen konnte. Aber auch Westeuropa durchlebt diese Revolution ein bißchen unvorbereitet, nicht nur im Hinblick auf Mittel- und Osteuropa. Selbst die Integration der EG kommt in eine stille innere Krise oder wenigstens in solche Widersprüchen, die sich vor einem Jahr vielleicht weniger dramatisch oder weniger problematisch äußerten. Ich glaube, daß der gemeinsame Wunsch nach einem integrierten Europa, einem gemeinsamen europäischen Haus, wie Gorbatschow gesagt hat, besteht, aber die Konzeption dafür noch nicht endgültig entstanden ist. In diesem Sinne wird für Ungarn sehr wichtig sein, was in Maastricht geschehen wird, wie in Maastricht die westeuropäischen Länder über ihre gemeinsame Zukunft entscheiden, damit Ungarn und Mitteleuropa später natürlich auch Osteuropa sich integrieren können. Aber wir müssen das Europa kennen, in das wir uns integrieren möchten. Wir können nicht sehen, welche Art von Union es in der Wirtschaft, in der Politik, in der Sicherheitspolitik in Europa geben wird.

In diesem Zusammenhang enthalten auch die ost- und südosteuropäischen Probleme für die ungarische Außen- und Sicherheitspolitik eine große Bedeutung und vielleicht die schwersten Herausforderungen, vor allem durch den Konflikt in Jugoslawien. Hier hat die ungarische Regierung von Anfang an eindeutig erklärt, daß diese Krise unter den betroffenen Völkern gelöst werden muß. Für Ungarn wäre eine Lösung günstig, bei der diese sich in Wahlen für eine Art des Zusammenlebens entscheiden würden, also für eine Föderation oder eine Konföderation, aber doch in einem Jugoslawien. In Serbien, in der sogenannten Woiwodina, lebt eine große ungarische Minderheit, circa 600.000 Menschen. Und in einem ausgeglichenen Jugoslawien, wo Serben, Kroaten, Slowenen und andere Völker zusammen leben, scheinen für unsere Minderheit größere Sicherungen zu bestehen, ihre Rechte zu bewahren als in einem Staat, dessen Führung eine militärische Lösung für die Probleme verfolgt, und wo eine solche Vielfalt nicht selbstverständlich wäre. Aber wir mußten erfahren, daß eine gemeinsame Lösung für die Völker leider nicht möglich ist, und es scheint ganz unrealistisch zu sein, darauf zu hoffen.

Ich möchte darauf hinweisen, daß die Ungarn und die ungarische Regierung keine Vorliebe für ein bestimmtes Volk haben. Für uns spielt es keine Rolle, ob jemand kroatisch, slowenisch, serbisch oder muslimisch ist. Unsere Meinung wird nur von einem einzigen Kriterium bestimmt, von der Forderung nach Demokratie, das heißt, inwiefern die europäischen Normen für Selbstbestimmungsrecht und für Nationalitätenrechte verwirklicht werden. Aber im großen und ganzen versucht die ungarische Regierung eine zurückhaltende Position einzunehmen und trotz aller kleineren und größeren Provokationen die Ruhe zu bewahren. Denn es wäre sehr gefährlich, wenn Ungarn sich in diese Krise hineinzwingen ließe.

Nun möchte ich noch über die dritte Komponente der Annäherung Ungarns an Europa im Hinblick auf unsere Modernisierungskrise sprechen, nämlich über die wirtschaftlichen Zusammenhänge. Die ungarische Regierung hat vor zwei Jahren ein sehr schweres Wirtschaftserbe übernommen. Es gab eine Menge funktionsunfähiger staatlicher Betriebe, eine sehr große staatliche Verschuldung in Höhe von 21 Milliarden Dollar. Wir müssen aber ehrlich sagen, daß die neue ungarische Regierung im Vergleich zu den anderen ehemals sozialistischen Ländern teilweise viel günstigere Bedingungen geerbt hat: eine Reformmentalität der Wirtschaftsexperten, eine wenn auch geringe, so doch existierende Privatwirtschaft und einige wichtige Gesetze über die Umgestaltung der Wirtschaftsorganisation, die bereits 1988 verabschiedet worden waren.

Trotz aller Probleme, die heute die ungarische Wirtschaft belasten und belasten werden, gibt es doch einige günstige Entwicklungen auf dem Weg der Umstrukturierung zur Marktwirtschaft. Ich möchte einige wichtige Daten erwähnen, um diese Veränderungen zu charakterisieren. Es ist uns in den letzten eineinhalb Jahren gelungen, einerseits die Liquidität zu bewahren, alle

Tilgungen, alle Zinsen rechtzeitig zurückzuzahlen, um eine weitere Unterstützung von Staaten, internationalen Gremien und Banken zu sichern. Andererseits ist es auch gelungen, die Verschuldung auf weniger als 20 Milliarden Dollar zu veringern - ein unerwartetes und sehr positives Ergebnis, weil diese Leistungen unter sehr ungünstigen weltwirtschaftlichen Bedingungen zustande gekommen sind.

Vor allem verweise ich hierbei auf den Zusammenbruch der Sowjetunion, die ein riesiger Markt für Ungarn war. Fast alle größeren Unternehmen haben überwiegend für diesen Markt hergestellt. Nach dem Zusammenbruch müssen sie jetzt ihre Produktion drosseln. Die Folge sind Probleme der Arbeitslosigkeit und andere soziale Spannungen. Auch der Zusammenbruch der ehemaligen RGW hatte ähnliche Nebenerscheinungen; selbst die Wiedervereinigung Deutschlands hat uns sehr viel gekostet. Dazu kamen noch die Golfkrise und die Erhöhung der Ölpreise auf dem Weltmarkt. Trotz aller dieser Probleme ist es gelungen, die Funktionsfähigkeit der Wirtschaft zu bewahren. So ist es vielleicht keine Übertreibung, zu sagen, daß Ungarn heute in Mittelosteuropa fast allein eine stabile innenpolitische Demokratie und eine funktionsfähige Wirtschaft hat.

Diese positiven Veränderungen erklären sich durch die große Leistungsfähigkeit der neuen mittleren und kleineren Unternehmen. Nach fast 20 Jahren hat Ungarn erstmals wieder im vergangenen Jahr ein Aktivum im Außenhandel produzieren können, über eine MIliarden Dollar, trotz der negativen Rahmenbedingungen. Dazu haben vor allem die neuen Unternehmen als Träger der marktwirtschaftlichen Revolution beigetragen. Deswegen konnte sich die ungarische Wirtschaft auch überraschend schnell umorientieren. Mehr als zwei Drittel unseres Außenhandels wickeln wir heute mit den OECD-Ländern ab, mehr als die Hälfte mit den EG-Staaten und mehr als 25 Prozent mit Deutschland. Diese drastische Wendung geschah innerhalb eines Jahres - ein gutes Zeichen, wo dieser Zeitraum doch für einen wirtschaftsgeschichtlichen Prozeß so kurz ist. Positiv ist auch zu verbuchen, daß es gelungen ist die Inflation, trotz ihrer gegenwärtige Höhe von 37 Prozent, unter Kontrolle zu halten. Es bestehen gute Aussichten dafür, die Inflation nächstes Jahr unter 25 Prozent zu drücken.

Es gibt aber natürlich negative Begleiterscheinungen des Umgestaltungsprozesses. Einerseits sind das die sozialen Spannungen. Alles, was ich zuvor geschildert habe, sind wichtige Grundlagen für eine spätere Prosperität. Aber was spürt der Staatsbürger jetzt? Es spürt, daß die wirtschaftliche Lage sich verschlechtert, das Lebensniveau sinkt und der Lohn und die Renten von

Monat zu Monat weniger wert ist. Die positiven Veränderungen gehen also mit einer Rezession einher, und solange kein Aufschwung eintritt, bleiben die sozialen Probleme bestehen.

Unsere Arbeitslosenquote liegt jetzt bei sechs bis acht Prozent. Das dürfte Westeuropäer nicht als hoch erscheinen. Sechs bis acht Prozent Arbeitslosigkeit wären in England und anderen Länder ein schönes Ergebnis, für uns sind das ganz andere Dimensionen, vor allem pychologische. Vierzig Jahre lang hatten der Ideologie nach alle Menschen das Recht auf einen Arbeitsplatz. Natürlich gab es auch früher eine innere, eine versteckte Arbeitslosigkeit, weil Menschen keine vernünftige Arbeit hatten. Aber die Menschen, die jetzt arbeitslos sind, interessieren sich eigentlich nicht für die Gründe. So sind die sechs, acht Prozent Arbeitslosigkeit psychologisch gefährlicher, als die Quote an sich vermuten läßt. Und wir müssen damit rechnen, daß sie noch höher steigt. Zugleich hat die überwiegende Mehrheit der Bevölkerung in Ungarn, im Unterschied zu Westeuropa, keine stabilen finanziellen Reserven. Die meisten ungarischen Familien leben von Monat zu Monat, wobei die Ehepaare insgesamt fünf, sechs Arbeitsplätze haben. In einer solchen Situation einen Arbeitsplatz zu verlieren, kann ganz einfach eine Katastrophe sein. Und solange bei uns kein soziales Netz aufgebaut ist, solange kann die Arbeitslosigkeit für unsere Gesellschaft eine große Belastung bedeuten.

Die vier wichtigsten Aufgaben der Regierung für die Zukunft sind also, die Inflation zu stoppen, die Arbeitslosigkeit unter Kontrolle zu halten, dadurch die sozialen Spannungen zu vermindern und vor allem die Rezession aufzuhalten und eine Prosperität in Gang zu bringen. Diese Aufgaben enthielt auch das Programm des Finanzminister Michael Kupa, und unserer Meinung nach - aber die Opposition ist ganz anderer Meinung - sind die Pläne für dieses Jahr gut verwirklicht worden, und ich habe die Hoffnung, daß diese Prozesse sich auch weiterhin entfalten werden.

Im Hinblick auf die wirtschaftliche Entwicklung und ganz allgemein ist für uns Deutschland der wichtigste Partner. Neben der wirtschaftlichen Zusammenarbeit besitzen auch Beteiligungen deutscher Unternehmer in verschiedenen Joint ventures in unserem Land und die Kapitaleinfuhr aus Deutschland eine große Bedeutung für die Stabilisierung der Wirtschaften, und sind ein Grund dafür, daß unsere Wirtschaft nicht zusammengebrochen ist. Diese Kontakte möchten wir natürlich auch künftig erweitern, nicht nur mit Deutschland, sondern mit ganz Europa und mit der Europäischen Gemeinschaft. Der Assoziationsvertrag bringt uns dem einen wichtigen Schritt näher. Und ich hoffe, daß Ungarn durch diesen Vertrag einen wichtigen Anstoß erhalten wird, unser

Land so zu demokratisieren und zu modernisieren, daß wir für Deutschland und die westeuropäischen Länder gute und stabile Partner werden.

Marcello Guidi
Botschafter der Republik Italien
(10. Dezember 1991)

Es ist mir eine besondere Ehre, daß ich heute über "Europa auf dem Weg ins 21. Jahrhundert" sprechen und einige Betrachtungen über Italien und sein europäisches Engagement in die Vortragsreihe einbringen kann. Nach einem Aufenthalt von ungefähr zweieinhalb Jahren in der Bundesrepublik Deutschland empfinde ich eine wachsende Bewunderung für die Rheinische Friedrich-Wilhelms-Universität, mit der die italienische Botschaft eine gute Zusammenarbeit verbindet.

Das Thema dieser Vortragsreihe bietet derartig vielfältige Betrachtungsmöglichkeiten, daß es mir unmöglich erscheint, sie allesamt in der gebührenden Weise zu behandeln - zumal heute, am letzten Tag des Treffens des Europäischen Rates in Maastricht. Der Weg zu diesem Gipfel war so sehr mit Problemen und Erwartungen gepflastert, daß ich mich heute über die Resultate natürlich noch in keiner Weise äußern kann. Wir alle aber wissen, daß der Gipfel in Maastricht - so nahe bei Bonn und geprägt von seinen drei europäischen Grenzen - von allen zwölf Mitgliedern der Gemeinschaft mit einem geradezu alarmierten Interesse verfolgt wird; auf jeden Fall ist es größer als bei früheren Ratstreffen, die ja immerhin alle sechs Monate stattfinden. Zweifellos ist diese Aufmerksamkeit durch die Entwicklung der beiden Regierungskonferenzen zur Wirtschafts- und Währungsunion und zur Politischen Union gerechtfertigt. Aber sicher rührt sie auch von der neuen europäischen Ordnung her, die sich, hervorgegangen aus den letzten beiden Jahren, als Symbol der neuen Welt darstellt und von der Vereinigung Deutschlands auf unauslöschliche Weise geprägt worden ist.

Ich kann nicht umhin, die geradezu gegenläufige Entwicklung auf der europäischen Bühne anzusprechen: zum einen das Europa des Einigungsprozesses auf der Suche nach neuen Formeln des Zusammenhalts, für die Maastricht ein Synonym sein wird; zum anderen das Europa der neuen

Nationalismen, der Zersplitterung und der ethnischen Rivalitäten. Da die Ära der Blöcke zuendegegangen ist und die Ideologien zusammenbrechen, die neben dem politischen auch den wirtschaftlichen Fortschritt eines so großen Teils der Welt blockiert haben, treten wir in die kreative Phase einer neuen internationalen Ordnung ein. Diese Phase ist noch völlig offen und muß überhaupt erst entworfen werden. Und wie die Probleme zeigen, die uns bis Maastricht begleitet haben, ist auch die große europäische Einigung noch offen. Doch bereits heute erfordert sie die Aufmerksamkeit aller, denn von ihr hängt die Existenz Europas im neuen Jahrtausend ab.

In dieser Phase des Übergangs sind die neuen Zielsetzungen unter Wahrung der geschaffenen Pfeilern zu definieren. Ihre solide Errichtung war möglich - und es ist nie überflüssig, daran zu erinnern - dank des entschlossenen und beständigen Vorgehens der westlichen demokratischen Welt in den vergangenen vierzig Jahren. In den kommenden Jahren muß unser kreatives Handeln unvermindert fortgesetzt werden. Zwar begleitet uns auf unserem Weg nicht mehr der Gegensatz zum Ostblock, doch haben wir uns Herausforderungen zu stellen, die sich aus den Veränderungen der letzten Jahre für uns und in erster Linie für die Europäische Gemeinschaft ergeben.

Es existiert ein ungemein wichtiges Bindegewebe aus den multilateralen Organisationen wie die Vereinten Nationen, das Atlantische Bündnis, die KSZE, der Europarat, die WEU und insbesondere die Europäischen Gemeinschaften und ihr Parlament. Wenngleich sich einige der Organisationen - ich denke dabei insbesondere an die NATO - den veränderten internationalen Gegebenheiten anpassen müssen und dies bereits tun, so bleibt unbestritten, daß die Grundprinzipien dieser Organisationen ihre Gültigkeit bewiesen haben und für die Errichtung des nach dem Fall der Berliner Mauer entstandenen Europas weiterhin behalten. Dieses Europa zeichnet sich durch Kooperation statt Konfrontation aus, durch Freiheit, Demokratie, das Ideal des Friedens und der internationalen, der sozialen Marktwirktschaft anvertrauten Sicherheit und durch den wirtschaftlichen und sozialen Fortschritt der Bevölkerungen, die sich ihrerseits mit dem Druck der Einwanderungswellen gewaltigen Herausforderungen ausgesetzt sehen. Dieses Europa kann zudem, wie ich meine, nicht auf seine beständige Freundschaft und Zusammenarbeit mit den atlantischen Partnern verzichten.

Um ein solches Europa zu errichten, müssen jedoch eine Vielzahl von politischen, wirtschaftlichen, sozialen, kulturellen und sicherheitspolitischen Problemen gelöst werden. Dazu zählt vor allem der Übergang der bisher planwirtschaftlich gelenkten Länder zur Marktwirtschaft. So etwas geht nicht mit dem Zauberstab, sondern erfordert sowohl grundlegende wirtschafts- und sozialpolitische Entscheidungen als auch einen qualitativen Sprung der Kader, der Bevölkerungen und ihrer Kulturen und Traditionen. In der genannten Phase des Übergangs erwächst hier die erste Herausforderung für die Europäischen Gemeinschaften, denn vielerorts wird die Auffassung vertreten, daß die Lösung des Problems in einer raschen Aufnahme der ehemals sozialistischen Länder Europas in die EG liege. Ist das möglich?

Mein Land ist davon überzeugt, daß Formen der Assoziierung für die ehemals sozialistischen Länder gesucht und gefunden werden müssen, die Impuls und Antrieb für radikale Veränderungen in Richtung auf ein Europa des Jahres 2000 geben werden. Aber in Rom vergißt man nicht, daß die Zwölf einen weiten Weg zurückgelegt haben, um zum gegenwärtigen Stand der Integration zu gelangen, obwohl sie allesamt als Demokratien und wettbewerbsfähige Wirtschaften gestartet sind. Und auch nach 40 Jahren liegt noch ein langer Weg vor ihnen, der, wie meine Regierung nur allzu gut weiß, voller Probleme sein wird. Es ist nicht immer leicht, mit der Gemeinschaft Schritt zu halten, und Italien mag hier ein Beispiel sein - ich werde noch darauf zurückkommen. Man stelle sich nur die Folgen einer übereilten und notwendigerweise verwässerten Erweiterung vor: Die ehemals sozialistischen Länder hätten keinerlei Gewinn, und das Gerüst und die Institutionen der Gemeinschaft selbst würden möglicherweise irreparable Schäden davontragen.

Wenn die Europäischen Gemeinschaften einen effektiven Beitrag zur Errichtung des künftigen Europa leisten wollen, müssen sie mit der Politischen Union und der Wirtschafts- und Währungsunion den Integrationsprozeß sowohl auf der institutionellen Ebene als auch auf der wirtschaftlichen und sozialen Ebene vorantreiben. Auf diese Weise stärken sie ihr internationales Gewicht, die eigenen integrativen Strukturen und können eine größere und gewichtigere Hilfe beim Wandel der Länder des ehemaligen sozialistischen Europas leisten. Dabei dürfen natürlich nicht die bereits gegenüber vielen anderen assoziierten Ländern, insbesondere den Teilnehmern des Lomé-Abkommens, bestehenden Verpflichtungen und jene Länder, mit denen besondere Verträge geschlossen worden sind, in Vergessenheit geraten.

Der Europäischen Gemeinschaft fällt sicherlich die Verantwortung zu, den ehemals sozialistischen Ländern in Europa zu helfen, damit sie nicht in autoritäre politische oder wirtschaftliche Formen zurückfallen. Doch hat sie bewiesen, daß sie schon heute zur Hilfe und Zusammenarbeit bereit ist. Das zeigen die jüngsten Assoziierungsabkommen mit der Tschechoslowakei, mit Ungarn und Polen. Diese Vereinbarungen sind von großer Tragweite. Es bestehen präzise Absichten, einigen Ländern sofort gewisse handels-, wirtschafts- und finanzpolitische Vergünstigungen einzuräumen und ihnen auch im politischen und kulturellen Bereich die Möglichkeit zu bieten, in enger Verbindung mit den Europäischen Gemeinschaften vorzugehen. Zudem ist eine weitergehende Integration bereits ins Auge gefaßt worden.

Nicht vergessen werden darf, daß die Europäische Gemeinschaft in der Gruppe der 24 Hilfe und Unterstützung für all die osteuropäischen Länder leistet: Der Haushalt sieht circa drei Milliarden Dollar für Nahrungsmittelhilfe, dringende Hilfsmaßnahmen, Krediterleichterungen und unentgeltliche Hilfen vor. Wenn diese Maßnahmen leider nur schleppend in Gang kommen, so liegt das an den unzureichenden Infrastrukturen für die Verteilung und Verwendung in den Empfängerländern.

Das Gerüst des neuen Europas ist somit bereits erstellt. Die ehemals kommunistischen Länder sind bereits Mitglieder des Europarates und der KSZE, und sie sollen dem neuen Kooperationsrat der NATO angehören - ein beträchtlicher Schritt, wenn man bedenkt, daß die Konfrontation zwischen NATO und Warschauer Pakt das Leben in Europa vierzig Jahre lang geprägt hat. Zur Errichtung des neuen Europa können diese Länder in all den internationalen Gremien selbst aktiv beitragen. Nach italienischer Auffassung gehört hierzu auch eine Beteiligung an den intensiven regionalen Vereinbarungen und Formen der Zusammenarbeit wie beispielsweise der "Hexagonalen".

Italien ist Mitglied und Mitbegründer dieser Initiative, die vor kurzem umbenannt worden ist in "Initiative Mitteleuropa", denn es ist davon überzeugt, daß die regionale Zusammenarbeit den unverzichtbaren Unterboden für die zwischenstaatlichen Beziehungen im künftigen Europa bilden wird. Beteiligt sind Italien, Österreich, Ungarn, die Tschechoslowakei und Polen. Durch die Krise in Jugoslawien fehlt der Initiative nun der wertvolle Beitrag dieses wichtigen Mitglieds zur Gestaltung des Donau-Adria-Raumes. Trotzdem ist sie weiterhin aktiv und ermöglicht so - gerade im Hinblick auf die Krise Jugoslawiens - nützliche Analysen der Geschehnisse. Nicht zu unterschätzen sind daneben die bereits erzielten Vereinbarungen in den Bereichen Verkehr, Tourismus, Kultur und Handel. Sie zeugen von einer Vitalität, die viele der Initiative abgesprochen hatten. Zudem wurde mit der "Erklärung von Krakau" vor einigen Wochen eine regionale Zusammenarbeit der Tschechoslowakei, Polens und Ungarns eingeleitet, während eine Reihe von Länder - auch die Bundesrepublik - an eine Konferenz der Baltischen Staaten denkt.

Die Neugestaltung der Landkarte Europas, die durch die Umwandlung der ehemaligen Sowjetunion noch einschneidendere Formen annimmt, wird zwangsläufig den Prozeß der regionalen Integration fördern. Ich habe diese Aspekte ausführlicher behandelt, weil sie mir von fundamentaler Bedeutung für eine harmonische Entwicklung um die Europäische Gemeinschaft herum zu sein scheinen, die natürlich im Zentrum meiner Aufmerksamkeit bleibt.

Die Gemeinschaft wird neuer institutioneller und organisatorischer Formen bedürfen, wenn der enorme qualitative Sprung einer eventuellen Erweiterung wirklich gelingen soll. Tatsächlich sind die Vereinbarungen über die Wirtschafts- und Währungsunion und über die Politische Union die unverzichtbare Voraussetzung für den Entwurf einer gemeinschaftlichen "Neufassung". Lassen sie mich hierzu die italienische Position deutlich machen, insbesondere im Hinblick auf die gegenwärtige wirtschaftliche, finanzielle und politische Lage meines Landes.

Wir glauben fest daran, daß aus den beiden Regierungskonferenzen ein neuer "Verfassungspakt" zwischen den Mitgliedstaaten erwachsen muß, der den höheren Grad der Reife des Integrationsprozesses widerspiegelt. Er soll es unter anderem gestatten, die angesprochenen künftigen Beitritte auf der Grundlage einer klaren föderativen Perspektive auszuhandeln und der wachsenden Verantwortung der Gemeinschaft bei der Suche nach dem neuen kontinentalen und internationalen Gleichgewicht gerecht zu werden. Wir wissen auch, daß unter den Partnern noch erhebliche Dissonanzen bestehen wegen der Modalitäten, wie der für die Errichtung eines geeinten Europas unerläßliche qualitative Sprung zu bewerkstelligen ist.

In den grundsätzlichen Aspekten der gemeinschaftlichen Planung für die Politische Union stimmen die italienische und die deutsche Position prinzipiell überein, wie auch die Erklärung der Außenminister Genscher und De Michelis vom vergangenen April zeigt. Beide befürworten eine gewichtigere Rolle des Europäischen Parlaments und eine stärkere demokratische Transparenz in den dynamischen Abläufen der Gemeinschaft. Der einzige Unterschied besteht bei den Themen Verteidigung und Sicherheit. Hier neigt Italien zu einer wiewohl überwiegend europäischen, so doch stärker auf die Abstimmung mit der atlantischen Achse ausgerichteten Orientierung, während Deutschland zwar die Vorrangstellung der NATO anerkennt, aber im Einklang mit Frankreich den Akzent auf den europäischen Pfeiler, d.h. die WEU, setzen möchte. Diese beiden Vorstellungen sind jedoch keineswegs unvereinbar.

Hinsichtlich der Wirtschafts- und Währungsunion sieht sich Italien mit der Mehrheit der europäischen Partner grundsätzlich einer Meinung. Allerdings gibt es eine unterschiedliche Interpretation der Voraussetzungen für den Eintritt in die sogenannte "Dritte Phase" zu Beginn des Jahres 1997. Nach italienischer Denkweise kann Europa nicht errichtet werden, indem unverrückbare Kriterien für eine unrealistische wirtschaftliche Konvergenz und bestimmte Schwellen festgelegt werden für variable Faktoren, wie beispielsweise die Inflation, das Haushaltsdefizit und die Zinsen. Auf diese Weise würden "strangulierende Vorschriften" geschaffen, so der Gouverneur der Banca d'Italia. Die Erfüllung dieser Bedingungen muß die Gemeinschaft eher mit Beharrlichkeit und Sorgfalt als mit der Anwendung automatischer Regelungen verfolgen und anstreben. Worauf es hier ankommt, ist die Konstatierung einer präzisen Orientierung in die von der Konvergenz geforderten Richtung.

Italien liefert diese Orientierung mit dem Sanierungsprogramm, das die Regierung der Gemeinschaft vorgelegt hat und das von Brüssel - wenn auch unter Vorbehalt - angenommen worden ist. Es wäre nicht gerecht, wenn man einen Partner in der Gemeinschaft von der Währungsunion ausschlösse, weil er die von der Konvergenz vorgesehenen Kriterien um Millimeter verfehlt. Dieser Fall würde beispielsweise eintreten, wenn die staatliche Neuverschuldung im Verhältnis zum Bruttosozialprodukt knapp über den festgelegten drei Prozent läge - in Italien sind es derzeit sechs Prozent - aber deutlich unter den Quoten der Länder, die sich in einer Sanierungsphase befinden und zugleich noch einen rückläufigen Trend aufweisen.

Dies ist jedoch nicht die deutsche Denkweise und insbesondere nicht die der Verantwortlichen der Bundesbank. Dort ist man der Auffassung, daß für die Wirtschafts- und Währungsunion bestimmte, unmißverständliche Regelungen und präzise Parameter in der Währungspolitik und den öffentlichen Finanzen absolut unerläßlich sind. Andere Kreise, die grundsätzlich diesem Ansatz zustimmen, denken mehr an die politische Bedeutung der Verwirklichung einer integrierten und möglichst umfassenden Wirtschafts- und Währungsunion. Kann man sich eine Gemeinschaft mit zwei Geschwindigkeiten vorstellen, mit Ländern einer "Gruppe A" und Ländern einer "Gruppe B"? Eine Gemeinschaft, die mit diesen Unterscheidungen ihre Natur verraten würde, für welche die Mitglieder seit über dreißig Jahren kämpfen und die in Maastricht sanktioniert werden sollte? Ist eine Europäische Union ohne Italien denkbar?

Diese Fragen geben mir die Möglichkeit, das wenig klare Bild zu erläutern, das mein Land für andere, auch für die Bundesrepublik Deutschland, bietet. Zu diesem Image eines gefährdeten Landes tragen zum großen Teil die italienischen Medien bei. "Italien wird nicht liquidiert", hat hingegen vor einigen Tagen Ministerpräsident Andreotti in Rom festgestellt. Italien ist eines der Gründungsländer der Europäischen Gemeinschaft, mit 57 Millionen Einwohnern eines der vier größten Länder, eines der G7-Länder und auch eines der Länder, dessen wirtschaftliches Wachstum und dessen industrielle Entwicklung nicht ihresgleichen in Europa finden. Es sei mir gestattet, daran zu erinnern, daß diese Entwicklung stets Überraschung und Bewunderung, wenn nicht sogar Neid hervorgerufen hat. Als ob es unmöglich wäre, daß sich ein Land wie Italien - arm an Rohstoffen, gekennzeichnet von Jahrhunderten einer ganz anderen Geschichte als die der übrigen europäischen Länder, geographisch im Norden dem karolingischen Europa verhaftet und im Süden auf den Mittelmeerraum ausgerichtet - auf der Bühne der "Großen" präsentieren kann.

Richtig ist, daß das Land beträchtliche Probleme hat und eine Krise des nationalen Bewußtseins durchlebt. Allerdings ist man sich der dringenden Notwendigkeit struktureller Reformen in allen Bereichen bewußt, damit das Land in die Lage versetzt wird, seine Konkurrenzfähigkeit zu sichern. Dieser Sachverhalt wird auch erkennbar in den täglichen Stellungnahmen des Staatspräsidenten Cossiga. Er vertritt die Auffassung, ohne sofortige Reformen könne das gegenwärtige System das Land ersticken. Der Präsident setzt sich mit den wichtigsten politischen und parlamentarischen Institutionen, mit seiner eigenen Partei und den tragenden Strukturen des Landes auseinander. Seine Einlassungen werden in Italien heftig diskutiert und finden oft ihr Echo in der europäischen Presse, die darin einen Beweis für den schlechten Zustand des Landes sieht - gerade in den Monaten, in denen es sich auf die Phase einer umfassenderen und weiter reichenden europäischen Integration vorbereitet.

Ich habe dieses Thema angesprochen, weil die Äußerungen des Staatsoberhauptes meines Erachtens als harte, aber unverzichtbare und heilsame Kritik an Regierung und Öffentlichkeit sind, die gleichermaßen all ihre Kräfte benötigen, um sich den neuen Realitäten anzupassen. Dieser Prozeß hat bereits eingesetzt. Zunächst sollte nicht vergessen werden, daß Italien seit den Römischen Verträgen ein beständiger und wachsamer Paladin der europäischen Einigung gewesen ist. Heute ist oft die Rede davon, daß sich der italienische Eifer für Europa nur in Worten zeige, während es wenig unternehme, um die eigenen Strukturen dem geeinten Europa anzupassen. Dieser Vorwurf ist ungerechtfertigt, gemessen am Beitrag von Ideen und der Beteiligung bedeutender Vertreter des Landes bei der Suche nach Lösungen für ein integriertes Europa, an das Italien immer geglaubt hat und für das es immer gekämpft hat - übrigens stets an der Seite der Bundesrepublik -, wenn die Grundsätze des europäischen Ideals Gefahr liefen, in nationalen Gegensätzen und Interessen unterzugehen. Und wenn Italien dann, was nicht bestritten werden soll, bei der Umsetzung der Vorschriften der Gemeinschaft, zu deren Erarbeitung es selbst beigetragen hat, hinter den anderen europäischen Partnern zurückgeblieben ist, so liegt die Ursache dafür viel eher bei der Schwerfälligkeit eines zweifellos reformbedürftigen politischen Systems als bei einem mangelnden europäischen Willen, in dem Italien sicher keinem anderen Land nachsteht. Mit den Regelungen des sogenannten Gesetzes "La Pergola" aus dem Jahre 1989 wird im übrigen sehr rasch ein Gutteil der verlorenen Zeit wieder aufgeholt.

Welche sind nun die wichtigsten Faktoren des strukturellen Profils im italienischen System, das so anders ist als das der meisten europäischen Partner? Erstens, ein hoher staatlicher Anteil am Bruttosozialprodukt von ungefähr 20 Prozent; zweitens, die Stärke kleiner und mittlerer Unternehmen, welche die wirkliche Grundlage für unseren Erfolg waren und die gesunde und überaus aktive Basis der industriellen Struktur darstellen; drittens, eine Konzentration der Beschäftigung, der Industrieproduktion und des Einkommens im Norden Italiens, die einen wirtschaftlichen Dualismus mit dem Süden des Landes verursacht; viertens, eine tiefgreifende und umfassende Modernisierung des Industrieapparates in der Phase des sogenannten italienischen Wirtschaftswunders, als die Produktivität zwischen Anfang und Ende der achtziger Jahre um das Sechsfache angestiegen ist; fünftens schließlich, der Kampf gegen die Inflation, die zu Beginn der achtziger Jahre zweistellige Zahlen erreichte und inzwischen auf ungefähr sechs Prozent gedrückt werden konnte - damit liegt sie sicher noch über dem europäischen Durchschnitt, aber wenn das Wirtschaftsprogramm der Regierung, das gegenwärtig dem Parlament vorliegt, erfolgreich ist, wird sie sich Ende 1992 um 4,5 Prozent bewegen.

Aus diesen Daten ist abzulesen, daß die Wirtschaftsstrukturen Italiens durchaus europäisches Niveau haben und daß die Zustimmung des Parlaments zu dem finanzpolitischen Gesetz eine gute Ausgangsbasis sein wird - vorausgesetzt, daß dann die Regierung jene Reformen einleitet, derer das Land unweigerlich bedarf, da es anderenfalls tatsächlich zu einer Unterscheidung verschiedener Kategorien in der Europäischen Gemeinschaft käme. Ich hoffe deshalb, daß die italienischen Kassandras bald arbeitslos werden.

Wenden wir uns wieder Europa auf dem Weg ins 21. Jahrhundert zu, den Veränderungen seiner tragenden Strukturen und der Organe, die über seine Geschicke entscheiden, und der Neugestaltung der staatlichen Beziehungen. Es erscheint mir offensichtlich, daß die Europäische Gemeinschaft auch weiterhin eine entscheidende Rolle spielen wird. Auch wenn in Maastricht neue

Grundlagen definiert wurden, so wäre die Annahme falsch und gefährlich, daß künftige Probleme der Gemeinschaft und Europas damit bereits gelöst seien. Wichtig ist eine möglichst starke Wiederbelebung der bilateralen Kontakte, die jedem wirklichen Fortschritt im Bereich der europäischen Einigung zugrunde liegen. Unter diesem Aspekt möchte ich zum Abschluß meiner Überlegungen betonen, wie wichtig es ist, daß die deutsch-italienischen Beziehungen ihre Festigkeit und Beständigkeit bewahren.

Das deutsch-italienische Verhältnis war immer hervorragend, trotz eines gewissen Mangels an echten Kontakten zwischen den beiden Völkern - und zwar jenseits der einfachen Urlaubsbekanntschaften. Ich meine natürlich nicht die Beziehungen im kulturellen Bereich; sie waren schon immer hervorragend, was auch ganz natürlich ist im Verhältnis zweier Staaten, die ein solches historisch-kulturelles Gewicht haben. Ich meine vielmehr das, was ich die sozialen Beziehungen nennen möchte. Hier wäre meines Erachtens eine Verbesserung und Intensivierung wünschenswert, gerade wegen der fundamentalen Unterschiede in Mentalität und Charakter von Deutschen und Italienern. Die Wiedervereinigung hat allerdings bereits einen erfreulich katalytischen Effekt gehabt für das gegenseitige Interesse, das eher durch eine gewisse Gleichgültigkeit gekennzeichnet war.

Italien hat die Wiedervereinigung von Anfang an als die Überwindung einer unnatürlichen Teilung begrüßt, die einen so langen Abschnitt der jüngeren europäischen Geschichte bestimmt hatte. In der Verwirklichung dieses deutschen Traumes hat Italien den Ausgangspunkt für ein neues Europa und eine neue Form der Kontakte und Beziehungen der Völker Europas untereinander gesehen. Mein Land beobachtet mit echter Anteilnahme und mit Begeisterung, wie das deutsche Volk sich um eine Vereinigung zweier verschiedener Teile des Landes nicht nur auf dem Papier, sondern auch in der praktischen Wirklichkeit bemüht.

Auch die deutsche Einladung zu einer wirksamen Beteiligung Italiens an Investitionen in den neuen Bundesländern ist auf große Aufmerksamkeit gestoßen; nach einem langsamen und schwerfälligen Start entwickeln sich diese Initiativen nunmehr sehr erfreulich mit allen Anzeichen eines weiter zunehmenden Interesses. Natürlich muß in Italien die Vermutung zerstreut werden, daß eine Form der Diskriminierung der ausländischen Investoren zugunsten der deutschen Unternehmen besteht. Dieser Eindruck kann widerlegt werden durch präzise Aussagen und konkrete Beweise dafür, daß es auf deutscher Seite einen solchen Vorsatz der Diskriminierung nicht gibt.

Eine Zunahme der bilateralen deutsch-italienischen Begegnungen in letzter Zeit berechtigt im übrigen zur Hoffnung auf eine Vollendung der bereits bestehenden, bemerkenswerten Harmonie. Mir scheint, daß sie eine unverzichtbare Grundlage für die Integration von Völkern ist, ohne die es für Europa keine Hoffnung auf Fortschritt geben kann, für ein Europa, dessen Grenzen weiter gesteckt, dessen Zielsetzungen der Demokratie, des Friedens und der Freiheit mit unser aller Einsatz weiter gestärkt werden müssen.

Stoyan Stalev
Botschafter der Republik Bulgarien
(17. Dezember 1991)

Es ist für mich eine Freude, hier in der Bonner Universität über die Probleme und die letzten Entwicklungen in Bulgarien sprechen zu können. Bulgarien kommt in Deutschland nicht so oft zur Sprache, obwohl wir eigentlich eine eng verbundene Geschichte bis zum Zweiten Weltkrieg haben. Das hängt damit zusammen, daß die frühere königliche Familie aus deutschem Haus stammt. Zum zweiten hat sich die bulgarische Intelligenz nach der Selbständigkeit von der Türkei im Jahr 1878 in großem Maße zuerst in Deutschland ausbilden lassen. Ich habe vor kurzem erfahren, daß bis zum Zweiten Weltkrieg ungefähr 1400 Doktorarbeiten auf Deutsch geschrieben und hier in Deutschland verteidigt worden sind. Leider kann man das nicht für die Nachkriegszeit sagen. Da haben nur noch wenige unserer Fachleute in Deutschland promoviert - in der DDR noch mehr als in der alten Bundesrepublik.

Alle osteuropäischen Staaten haben etwas Gemeinsames, und wenn man das schwierige Erbe des Kommunismus analysieren soll, so wird man als allgemeines Merkmal feststellen können, daß alle diese post-kommunistischen Gesellschaften eine schnelle und alle Lebensbereiche umfassende Dezentralisierung anstreben. Diese Dezentralisierung betrifft zuerst das politische Leben und wir sehen in allen post-kommunistischen Staaten eine Vielfalt von Parteien, manchmal eine zu große Vielfalt. Dann kommt die Dezentralisierung im Bereich der Wirtschaft. Das drückt sich durch die Privatisierung aus. Die Privatisierung ist allerdings ein Verfahren, das über die wirtschaftliche Bedeutung hinaus für die politische Unumkehrbarkeit des Prozesses sorgt. Die Privatisierung schafft auch die sozialen Grundlagen für anständige bürgerliche Parteien, die wir in den osteuropäischen Ländern noch nicht genügend haben. Dann kommt die Dezentralisierung im nationalen und ethnischen Bereich. Für die nationalen Teilungstendenzen, die wir überall im Osten bemerken, gibt es mehrere Gründe. Die postkommunistischen Parteien versuchen natürlich, diese nationalen Widersprüche auszunutzen, um etwas zu gewinnen, wie man es zur

Zeit am Beispiel der Serben sehen kann. Viele kleinere Nationalitäten glauben auch, daß durch nationale Teilung die wirtschaftlichen Schwierigkeiten leichter zu überwinden seien, was zum Teil stimmt, wenn man die föderale Besteuerung in manchen Bundesstaaten abschaffen würde.

Die Dezentralisierung hat für die postkommunistischen Gesellschaft auch noch eine andere Begleiteigenschaft, nämlich die starke Entfremdung unter den Menschen. Diese Entfremdung verstärkt den Egoismus des einzelnen, und nach meiner Meinung sind wir auf dieser Ebene am meisten vom Kommunismus geschädigt worden, denn dieser Egoismus ist in den postkommunistischen Staaten viel stärker als überall anders im Westen. Der Egoismus wird dem Reformprozeß schaden, denn wir haben bei uns ein sehr stark entwickeltes Mißtrauen zum Nachbarn sowie zum Rechts- und Staatssystem insgesamt. Dieses Mißtrauen muß so schnell wie möglich überwunden werden, sonst kann die gesamte Reform sehr verlangsamt werden. Wir haben in allen Staaten mit der Rechtsreform begonnen, aber die rechtliche Entwicklung hängt vielmehr vom Rechtsbewußtsein ab, als von den rein technischen Problemen der Gesetzgebung.

Bulgarien hat natürlich auch typische eigene Probleme und Besonderheiten in seiner Entwicklung. Bulgarien ist ein kleines Land, und das ist ein Vorteil bei einem solchen Umbau der Gesellschaft. Ich bin optimistisch, daß ein kleiner Staat das leichter schaffen kann als ein größerer Staat. Bulgarien hat eine Fläche in der Größenordnung der ehemaligen DDR mit einer Bevölkerungszahl von 8,67 Millionen Menschen. Die demographische Struktur ist augenblicklich nicht besonders günstig, was bei den letzten Wahlen zu einem Problem wurde, denn von 6,4 Millionen Wählern sind etwa drei Millionen 60 Jahre oder älter. Die Bevölkerung im Rentenalter wird von den Wirtschaftsreformen nicht begünstigt. Die Menschen freuen sich über das Zusammenbrechen des Kommunismus, aber die wirtschaftliche Zukunft für die Rentner ist nicht gut. Nur wenige können sich umstellen und private Unternehmer werden.

Bulgarien ist relativ arm an Bodenschätzen. Das Land hat einen wichtigen Schatz, das ist seine schöne Natur. Man muß versuchen, dies vernünftig zu nutzen. Bulgarien hat eine sehr schöne Landschaft, und ich sehe im Tourismus in Zukunft eine gute Möglichkeit für einen wirtschaftlichen Aufschwung. Es gibt eine schöne Seeküste und auch eine schöne Gebirgslandschaft mit Bergen von circa 3000 Metern Höhe, die jedoch weniger besiedelt sind als die Alpen.

Wir haben im Herbst 1989 mit der Reform begonnen. Vor kurzem konnte die derzeit regierende Parteienkoalition ihr zweijähriges Jubiläum feiern. Diese

Koalition der Demokratischen Kräfte seit Anfang Dezember 1989 besteht zu einem Teil immer noch aus Vorkriegsparteien, zum anderen Teil aber auch aus Parteien, die erst nach der Wende gegründet worden sind. Auf Wahlen sind wird inzwischen spezialisiert: in den vergangenen zwei Jahren fanden zweimal Parlaments- und einmal Kommunalwahlen statt sowie Präsidialwahlen im Januar 1992. Somit kann Bulgarien als das Land mit der größten Wahlerfahrung unter den osteuropäischen Staaten betrachtet werden. Die ersten freien Wahlen im Juni gewannen die Sozialisten, die ehemaligen Kommunisten, mit einer knappen Mehrheit von zehn Mandaten. Es waren Wahlen für eine verfassungsgebende Versammlung, und schon damals war man sich darüber im klaren, daß die ersten freien Wahlen so kurz nach der Wende nicht auf allen Gebieten völlig frei sein würden und die Opposition noch nicht in allen Landesteilen ausreichende Strukturen zur Verfügung stellen kann. Man wollte ein kurzfristiges Parlament wählen. Das erste Parlament war ein verfassungsgebendes Parlament, das die Verfassung erarbeiten und sich dann auflösen sollte. Diese Verfassung wurde im Juli 1991 verabschiedet.

Bereits am 13. Oktober 1991 hatten wir die zweiten Wahlen für ein Parlament, das aus nur noch 240 Abgeordneten besteht, im Unterschied zum verfassungsgebenden Parlament, in dem 400 Abgeordnete saßen. Die zweiten Wahlen waren für die demokratische Opposition erfolgreich: die Union der Demokratischen Kräfte hat die Wahlen mit 35 Prozent der Stimmen gewonnen, die Sozialistische, Ex-Kommunistische Partei hat immerhin 33 Prozent der Stimmen erhalten, und die Bewegung für Rechte und Freiheit, die Rechte der Minderheiten, vor allem die der türkischen Bevölkerung vertritt, hat 7,8 Prozent erhalten. Nur diese drei Parteien sind jetzt im Parlament vertreten. Ich betrachte dieses Wahlergebnis als einen großen Erfolg. Erstens wegen der demographischen Schwierigkeiten, in der sich Bulgarien befindet, zweitens, weil die Bevölkerung seit einem Jahr schon die Folgen der monetären Wirtschaftsreform spürt, und drittens, weil wir eine Menge von Parteien hatten, die sich zur Wahl gemeldet haben: 38 haben kandidiert und nur drei sind im Parlament. Die Wahlbeteiligung war relativ hoch und lag bei über 80 Prozent, was auch ein Zeichen für den politischen Willen ist.

Auch das verfassungsgebende Parlament hat schon viele innenpolitische Probleme angepackt. Das erste Gesetz, das vom Parlament im Herbst 1990 verabschiedet wurde, war ein Gesetz zur Entpolitisierung bestimmter Staatsbehörden, d.h. die Beamten der Armee, der Polizei und des Auswärtigen Amtes, Richter, Staatsanwälte und auch die Beamten im Präsidialamt dürfen keiner Partei angehören. Sie mußten die Kommunistische Partei, der die meisten angehören, offiziell verlassen. Natürlich kann man nicht mit einem Gesetz das Bewußtsein verändern, aber es hat sich immerhin als positiv erwiesen. Es existieren Statistiken, die besagen, daß z. B. innerhalb der Justiz die wenigsten Kommunisten vertreten waren, jedoch immer noch 60 bis 70 Prozent. Am meisten waren sie im Auswärtigen Amt und in der Armee sowie bei der Polizei vertreten, über 95 Prozent. Hieran kann man ersehen, wo die Schwerpunkte in der kommunistischen Gesellschaft gelegt wurden, nicht in der Justiz, sondern im Repressiv-Apparat und im Auswärtigen Dienst. Die Regierung hat sich bemüht, die Richter am Obersten Gerichtshof zu ersetzen, bislang zu 40 Prozent, aber wir können es uns zur Zeit leider nicht erlauben, auch Richter an den Gerichten niederer Instanzen zu ersetzen, obwohl diese sich natürlich ebenfalls einer Überprüfung ihrer richterlichen Tätigkeit unterziehen müssen. Ich bin jedoch sicher, daß eine solche Überprüfung nicht so strikt und vollständig durchgeführt werden kann, wie dies in den ostdeutschen Ländern geschieht. Zunächst einmal haben wir nicht so viel Zeit, denn sie soll innerhalb eines Monats abgeschlossen werden. Ich halte diesen Zeitraum für unzureichend. Andererseits ist es sehr schwer, neue Richter zu finden; man kann wohl Fachleute in neue Bereiche einführen, Richter jedoch nicht.

Innenpolitisch konnte das Nationalitätenproblem beruhigt und normalisiert werden, d.h. man hat die Rechte der türkischen Bevölkerung wiederhergestellt. Seit 1985 gab es große Verbrechen auf diesem Gebiet: zuerst wurden Namensänderungen in der türkischen Bevölkerung vorgenommen, dann Beschränkungen im Sprachunterricht eingeführt. Nachdem diese Maßnahmen inzwischen rückgängig gemacht wurden, ist etwa die Hälfte derjenigen, die in die Türkei ausgereist waren, wieder zurückgekehrt: 1988 waren es etwa 400.000 Menschen, von denen 200.000 wieder ins Land zurückgekommen sind. Es gibt Schwierigkeiten mit der Entschädigung dieser Familien, die damals zu schnell ihre Immobilien verkauft haben. Diese Prozedur ist noch nicht abgeschlossen, aber sie läuft.

Das letzte Parlament hat damit begonnen, einige wichtige Gesetze im Bereich der Wirtschaft zu entwickeln und zu verabschieden, wobei ich vor allem das Gesetz über die Agrarreform erwähnen will, welches die Rückgabe des Landes an die Bauern vorsieht. Das Interesse daran ist relativ hoch: etwa 30 Prozent der Bauern haben sich den Umfragen zufolge bereit erklärt, das Land zurückzunehmen. Bulgarien hatte immer eine blühende Landwirtschaft, und ich hoffe, daß diese Maßnahme weiter zur Stabilisierung der Landwirtschaft beitragen wird. Rechtlich gesehen war das Land immer privat, faktisch war es in den LPGs zusammengefaßt. Der Unterschied zwischen Bulgarien und den anderen kommunistischen Staaten Europas war, daß der Immobilienbesitz in Bulgarien immer privat war, statistisch gesehen über 80 Prozent. Nur in den Großstädten gibt es vermieteten Wohnbesitz. Auf dem Lande hatten die Bauern früher einige Grundstücke, natürlich reduziert an Fläche, fünf bis höchstens zehn Äcker, auch in privatem Eigentum und Besitz, so daß das privateigentümerische Gefühl nicht völlig zerstört worden ist.

Dann würde ich noch das Handelsgesetz nennen, welches das Parlament im Juni 1991 verabschiedet hat und seit dem 1. Juli in Kraft ist. Dieses Gesetz ist sehr stark vom deutschen HGB (Handelsgesetzbuch) beeinflußt, in Fortsetzung der Vorkriegstradition, wonach die Handelsgesetzgebung bei uns immer sehr stark vom deutschen Handelsrecht beeinflußt war, wogegen das Zivilrecht mehr vom französischen Zivilrecht beeinflußt ist. Wir sind jetzt auf dem Wege zur Erarbeitung eines neuen Bürgerlichen Gesetzbuches. Die Unterschiede zum deutschen Bürgerlichen Recht werden dabei nur noch sehr gering sein. Wir haben uns auch in anderen Bereichen die deutsche Erfahrung zunutze gemacht, z. B. bei der Gestaltung des Wettbewerbsgesetzes und beim Wertpapiergesetz wird man wieder darauf zurückgreifen. Unser Entwurf für das Privatisierungsgesetz, welches schon im Parlament eingebracht worden ist, ist ebenfalls sehr stark von den Privatisierungsregelungen der Treuhand-Anstalt beeinflußt worden.

Zur Zeit ist für alle osteuropäischen Staaten die Schaffung eines einheitlichen Rechtsraumes in Europa sehr wichtig. Vor kurzem gab es in diesem Bereich eine Veranstaltung des Bundesjustizministeriums, ein Treffen der Justizminister Osteuropas mit dem Bundesjustizminister, wo Fragen der Anpassung der Rechtssysteme besprochen wurden. Anpassung nicht nur in Fragen der Rechtshilfe oder in rein technischen Fragen der Jurisprudenz, sondern auch Anpassung der Gesetzgebung. In diesem Bereich können die deutschen Erfahrungen sehr nützlich sein, denn Deutschland ist durch die Vereinigung ein sehr wichtiges Beispiel für Osteuropa. Besonders hinsichtlich der Privatisierung in den ostdeutschen Länder bewundern wir die Tätigkeit der Treuhand-Anstalt in Berlin. Ich persönlich halte dies für eine riesige Leistung, obwohl die Treuhand-Anstalt manchmal stark kritisiert wird. Aber diese schnelle, konsequente Privatisierung ist politisch sehr wichtig, und man wird bald die ersten positiven Ergebnisse sehen. Schon heute sieht man in den ostdeutschen Ländern die ersten Anzeichen von Aufschwung.

In Bulgarien hat die letzte Regierung, die seit Januar 1990 eine Koalitionsregierung war, auch mit der Wirtschaftsreform begonnen, aber man hat sich nur auf die monetäre Reform beschränkt. Man hat Maßnahmen zur Preisliberalisierung sowie Währungs- und Lohnliberalisierung unternommen, aber die strukturelle Reform, d.h. die Privatisierung, hat erst angefangen. Seit Februar 1991 haben wir einen Preisaufschwung von 1000 Prozent erlebt, was in Deutschland natürlich schwer vorstellbar ist. Ich muß sagen, daß man in Bulgarien diese Preiserhöhungen relativ ruhig aufgenommen hat, und wir hatten bis jetzt keinen öffentlichen Protest. Aber man darf natürlich die Leute nicht zu lange einer monetären Reform aussetzen, man muß auch die Strukturreform einleiten, denn dann sehen auch die privaten Unternehmer und die einzelnen Leute eine neue Zukunft. Wir haben inzwischen eine breite private Unternehmerschicht: etwa 180.000 Privatunternehmen wurden in den letzten zwei Jahren neu gegründet. Diese Privatunternehmen beschäftigen etwa eine halbe Million Arbeitnehmer, was natürlich unzureichend ist, denn die Industrie ist immer noch in staatlichem Besitz. Es besteht nun die Gefahr, daß viele staatliche Unternehmen sich selbst privatisieren, was nicht sehr erfreulich ist. Man muß die Privatisierung so schnell wie möglich durchführen, um größere Schäden für die staatliche Wirtschaft zu vermeiden. Die Arbeitslosenquote beträgt schon nahezu 12 Prozent, was an sich schon ein Problem werden kann. Wir hatten zwar schon früher Arbeitslosigkeit, aber versteckte Arbeitslosigkeit. So erkennt man jetzt, daß alle Ministerien auch mit der Hälfte des Personals arbeiten können.

Die größte Leistung des verfassungsgebenden Parlaments war natürlich die Verfassung selbst. Diese Verfassung ist die Grundlage für einen neuen demokratischen Anfang in Bulgarien. Ich glaube, es war die erste Verfassung in einem osteuropäischen Staat, aber sie wurde zu schnell vorbereitet und kam ein bißchen zu früh. Mit Verfassungen soll man sich nicht beeilen. Diese Verfassung wurde von einem Kompromißparlament erarbeitet, und sie hat auch gewisse Nachteile, aber sie garantiert im Prinzip das Mehrparteiensystem, garantiert das private Eigentum, liqudiert die Planwirtschaft und gewährleistet einen mehr oder weniger marktwirtschaftlichen Anfang. Zum Beispiel beschränkt die Verfassung sehr stark die Eigentumsobjekte, die nur in staatlichem Besitz sein können, wie Bodenschätze, Meeresküste, Nationalstraße und Gewässer. In der Verfassung sind die Wirtschaftsbereiche, wo ein staatliches Monopol aufgebaut werden kann, sehr beschränkt. Das sind hauptsächlich Waffenproduktion, Kernenergie und Arzneimittelpoduktion, hier vor allem stärkere Betäubungsmittel, die auch als Drogen gelten können. Bereiche wie das Bankwesen, Versicherungen, Radio und Fernsehen, Schulwesen und Kranken- sowie medizinische Versorgung sind keine staatlichen Monopole, man muß jedoch sehr schnell entsprechende marktwirtschaftliche Regelungen schaffen. Wir haben z.B. im Bereich des Gesundheitswesens viele private Anstalten, die relativ teuer sind, und viele staatliche, die kostenlos sind. Dies zeigt einen Gegensatz, denn ein anständiges Krankenversicherungssystem fehlt. Wir hoffen in diesem Bereich auf Unterstützung durch die Erfahrungen aus Deutschland.

Die Verfassung steht im Bereich der Menschenrechte völlig im Einklang mit den internationalen Abkommen, die wir auch schon früher ratifiziert haben. Die wichtigsten Neuregelungen in der Verfassung sind in der Verteilung der Kompetenzen zwischen den Staatsorganen zu sehen, besonders zwischen dem Staatspräsidenten, der eine neue Figur darstellt, und der Regierung. Wir haben früher einen DDR-ähnlichen Staatsrat gehabt. Der Staatspräsident soll von nun an direkt von der Bevölkerung für fünf Jahre gewählt werden, hat aber keine große Vollmachten, außer der Möglichkeit eines relativen Vetos. Er kann also die Gesetze an das Parlament zurückgeben, aber dieses Veto kann vom Parlament leicht mit einer einfachen Mehrheit überstimmt werden. Das Recht zur gesetzgeberischen Initiative haben nur noch die Regierung und die Abgeordneten, keine weiteren Organe oder Organisationen wie früher in der kommunistischen Zeit, wo auch die Jugendorganisation gesetzgeberische Initiative hatte.

Eine Neuschöpfung der Verfassung ist das Verfassungsgericht, wo man sich auch deutsche Erfahrung zunutze machte. Zum ersten Mal in unserer Rechtsgeschichte haben wir ein Verfassungsgericht, was auch schon funktioniert. Das Gericht besteht aus zwölf Richtern, wovon ein Drittel vom Parlament gewählt, ein Drittel vom Präsidenten ernannt und ein Drittel vom Obersten Gerichtshof und vom Verwaltungsgericht gewählt wird. Dieses Gericht soll zunächst verbindliche Auslegungen der Verfassung erarbeiten, dann soll es über die Verfassungsmäßigkeit der Gesetze entscheiden, über die Gesetzmäßigkeit von Wahlen, Parlaments- und Präsidialwahlen, und es soll über Kompetenzstreitigkeiten zwischen dem Präsidenten und der Regierung entscheiden. Der Nachteil dieses Verfassungsgerichts ist, daß nur gewisse Behörden das Antragsrecht haben, nicht direkt die Bürger. In diesem Bereich muß es noch Verbesserungen geben. Bis jetzt kann der Präsident das Gericht anrufen, ein Fünftel der Abgeordneten und die Regierung sowie die Staatsanwaltschaft und der Vorsitzender des Obersten Gerichtshofs. Wir haben mit der Verfassung auch ein Oberstes Verwaltungsgericht eingeführt, um die Verwaltungsgerichtsbarkeit zu erweitern und zu verbessern. Wir hatten auch früher, im Unterschied zur DDR oder der Sowjetunion, eine teilweise gute verwaltungsrechtliche

Gerichtsbarkeit, d. h. auch früher konnten Verwaltungsakte beklagt werden, aber es gab Beschränkungen. Dies müssen wir nun vervollkommnen.

Nach den Wahlen haben wir jetzt die erste nicht-kommunistische Regierung nach dem Krieg, eine ganz junge, auch nach der Altersstruktur junge Regierung, die hauptsächlich die strukturelle Reform in Angriff nehmen muß, d. h. die Privatisierung, wobei wir gerade da sehr mit der Beteiligung ausländischer Investoren rechnen. Ohne ausländische Beteiligung können wir die Privatisierung nicht durchführen. Eine ausländische Beteiligung ist auch daher wichtig, um die ausländischen Erfahrung in die Verwaltung einzubringen, und wir hoffen in diesem Bereich sehr auf das Interesse deutscher Investoren.

Ich möchte nun etwas über die außenpolitischen Ziele Bulgariens sagen. In der Außenpolitik hat sich die Wende am schnellsten entwickelt. In der Außenpolitik hat sich unser Land in den letzten eineinhalb Jahren wirklich geöffnet, und es ist eine völlige Veränderung der Werte und Ziele eingetreten. Wir haben natürlich immer noch sehr große Probleme mit den personellen Veränderungen in der Außenpolitik, aber dieses Problem läßt sich lösen. Die beste Lösung ist natürlich eine starke Kürzung der Arbeitplätze im Auswärtigen Amt, jedoch ist dies nicht immer möglich. Wir sind natürlich zuerst daran interessiert, die Integration mit den europäischen Institutionen durchzuführen. Unser erstes Ziel in der Außenpolitik ist es, die Beziehungen zu Westeuropa zu stärken und zu vervollkommnen, denn unsere Lage und unsere Geschichte sind europäisch. Wir wollen so schnell wie möglich westeuropäische Kulturwerte und politische Werte in das Land bringen, was natürlich die Ausbildung der ganzen Bevölkerung bedeutet, aber sich nur langsam durchsetzen wird. Bei uns gab es auch vor dem Krieg immer schon zwei starke Tendenzen, eine pro-russische und eine pro-deutsche Tendenz in der Politik. Ich glaube, daß sich nun diese beiden Tendenzen positiv zusammenfügen können, besonders nach der Auflösung der Sowjetunion. Wir haben nach Polen als zweites Land die Ukraine anerkannt, und am 15. Dezember 1991 diplomatische Beziehungen zur Ukraine aufgenommen. Wir werden auch mit Rußland so vorgehen.

Unser erstes Ziel ist natürlich die Anpassung an die europäischen Institutionen, und ich glaube, daß Bulgarien Anfang 1992 Mitglied des Europarates wird. Das ist für uns sehr wichtig, denn unser Land will die Menschenrechtskonvention unterzeichnen. Wir werden in Kürze die bisher geltenden Reservationen zum Vertrag über das Internationale Gericht in Den Haag aufheben. Alle kommunistischen Staaten haben nach dem Krieg solche

Vorbehalte gegenüber dem Internationalen Gericht geltend gemacht, so daß wir immer noch nicht der Zuständigkeit dieses Gerichts unterstehen, aber dies wird und muß Anfang 1992 geändert werden. Heute ist in Bulgarien eine Delegation der EG eingetroffen, die über die Assoziierungsgespräche verhandeln soll, die bereits angefangen haben. Wir hoffen, daß wir im nächsten Herbst das Assoziierungsabkommen abschließen können. Bis jetzt haben wir nur einen allgemeinen Handelsvertrag mit der EG.

Wir haben auch ganz neue Beziehungen zur NATO aufgenommen und zur WEU, der Westeuropäischen Union, aber für uns ist besonders der Rom-Beschluß der NATO über die Bildung der Beratungskonferenz der Außenminister erfreulich, an der auch die Außenminister der osteuropäischen Staaten teilnehmen dürfen. Unser Außenminister wird übermorgen (am 19. Dezember 1991) in Brüssel an der NATO-Tagung teilnehmen. Wir streben, wenn auch nicht die vollständige, so doch die politische Mitgliedschaft der NATO an. Diese politische Mitgliedschaft ist für uns sehr wichtig, denn die neue Lage in Osteuropa und besonders auf dem Balkan macht auch für die NATO eine Ausweitung ihrer Beziehungen notwendig. Es haben schon mehrere gegenseitige Besuche stattgefunden. Der NATO-Generalsekretär war im Juni 1991 in Sofia, unser Staatspräsident war Mitte November 1991 zu einem NATO-Besuch in Brüssel. Es läuft jetzt ein ständiger Austausch von Delegationen auf verschiedenen Ebenen mit der NATO. Wir sind davon überzeugt, daß auch die KSZE für Europa eine große Zukunft hat. Ich glaube, daß das Maßgebliche für das 21. Jahrhundert die Entwicklung des europäischen Völkerrechts sein wird, also des regionalen Völkerrechts für Europa. Man muß für Europa unbedingt gewisse völkerrechtliche Eingreifmöglichkeiten schaffen, denn die sogenannten inneren Angelegenheiten des Staates sind heute so eng auszulegen, daß kein Staat sich mehr hinter den inneren Angelegenheiten verstecken kann. Ich lege sehr viel Wert auf eine solche Entwicklung des Völkerrechts in Europa. Wir sehen, wie notwendig eine solche Entwicklung ist am Beispiel des Krieges in Jugoslawien.

Ich möchte nun noch einige Worte zu den Beziehungen zu unseren Nachbarn sagen. Wir entwickeln zur Zeit sehr starke Beziehungen zu Griechenland und zur Türkei, sowohl politische als auch wirtschaftliche. Mit Griechenland haben wir Anfang Oktober 1991 einen Vertrag über Zusammenarbeit und Partnerschaft geschlossen. Ein solcher Vertrag wird auch mit der Türkei vorbereitet. Wir erwarten einen Besuch des türkischen Präsidenten Özal, der wegen der Wahlen verschoben wurde, der vielleicht aber Anfang des Jahres realisiert wird. Wir erhoffen sehr viel vor allem von den wirtschaftlichen

Beziehungen zwischen Bulgarien, Griechenland und der Türkei. Wir sind natürlich sehr besorgt über die Entwicklungen und den Krieg in Jugoslawien. Wir begrüßen sehr die deutsche Initiative der Anerkennung. Auch wir werden dies tun, wenn einige größere europäische Staaten diesen Schritt unternehmen. Unser Staatspräsident hat vorige Woche (Mitte Dezember 1991) wieder erklärt, daß wir bereit sind, alle jugoslawischen Teilrepubliken anzuerkennen, die den Wunsch dazu rechtlich schon geäußert haben. Ich glaube, daß eine Anerkennung von Slowenien und Kroatien wirklich dringend ist. Ich bin gespannt, wie in den nächsten Tagen die endgültige Entscheidung der EG lauten wird. Ich freue mich auf jeden Fall, daß sich der deutsche Einfluß durchgesetzt hat. Wir haben mit Rumänien bisher keine politischen Probleme gehabt. Natürlich muß man auch dort die Wahlen abwarten. Wir haben schon ein Abkommen über Umweltschutzprobleme abgeschlossen, denn wir haben große Konflikte mit Rumänien über chemische Werke an der Donau. Wir sind natürlich in diesem Breich auch nicht ganz unschuldig, denn unser Atomkraftwerk Kozlodni an der Donau befindet sich jetzt in einer Umbauphase, aber leider kann dieses Werk nicht völlig stillgelegt werden, obwohl schon zwei Reaktoren stillgelegt sind.

Wir haben auch - und dies möchte ich hier besonders betonen - begonnen, bilaterale Verträge mit westeuropäischen Staaten zu schließen, und Deutschland war der erste Staat, mit dem wir am 9. Oktober 1991 einen bilateralen Vertrag für Zusammenarbeit und Partnerschaft abgeschlossen haben. Ich lege sehr viel Wert darauf, daß dieser Vertrag eine tiefgründende Basis für die neuen Beziehungen zwischen beiden Ländern sein kann. Dieser Vertrag sieht dem Inhalt nach ähnlich aus wie der deutsch-polnische oder deutsch-tschechoslowakische und ist wirklich eine neue Grundlage für die Beziehungen. Was wir von Deutschland zur Zeit am meisten erwarten, ist die Unterstützung bei der Ausbildung von neuen Fach- und Lehrkräften. Während wir schon eine deutsch-bulgarische technische Fakultät haben, ist unser Nachholbedarf hauptsächlich in den Bereichen der Geisteswissenschaften sowie der Rechts- und Wirtschaftswissenschaften besonders groß. Ich versuche hier, mehrere deutsche Fakultäten für die Bildung von gemischten Instituten in Bulgarien für deutsches und europäisches Recht zu werben, an denen man dann direkt auch Deutsch und Englisch unterrichten kann und auch schnell eigene Lehrkräfte ausgebildet werden können auf der Basis von postgraduierter Ausbildung. Wir haben schon eine amerikanische Universität gegründet, außerhalb von Sofia, in einer Provinzstadt, aber desto nötiger ist es, daß der deutsche Einfluß im Bereich der Ausbildung sich verstärkt. Die Bereitschaft ist da, doch die

Koordination ist immer noch relativ schlecht. Das Endziel der europäische Einheit ist die Schaffung einer europäischen Kulturgemeinschaft. Die allgemeinen Kulturwerte sind die Garantie für Sicherheit und Stabilität.

Radu Comşa
Botschafter Rumäniens
(14. Januar 1992)

Gegenstand meiner Ausführungen soll in erster Linie die innen- und die außenpolitische Entwicklung Rumäniens in den letzten zwei Jahren sein, obwohl man über Rumänien sicher auch vieles andere Interessante erzählen kann. Wenige wissen, daß Rumänien ein traditionsreiches europäisches Land ist. Es gab und gibt große, weltbekannte Rumänen, z.B. unseren größten Dichter Mihail Eminescu sowie unseren großen Komponisten Enescu und den weltberühmten Bildhauer Constantin Brancusi. Die Schöpfer des abstrakten und modernen Theaters in Europa waren Rumänen: Tristan Tzara, Eugene Ionescu. Auch die Mikrobiologie wurde von weltberühmten Rumänen gefördert, wie Victor Babeş oder Nobel-Preisträger George Palade. Es hat große rumänische Philosophen gegeben, die viel an der Deutschen Schule gelernt haben, wie Constantin Noica und viele andere. Ich spreche also über ein Land, das vielleicht ein wenig unbekannt ist, aber das sich trotzdem in Ihrer Nähe entwickelt hat.

Sie werden sich erinnern, daß vor zwei Jahren zu Weihnachten eine blutige Revolution in Rumänien stattgefunden hat. Damit Sie sich in die heutige Lage versetzen können, möchte ich zunächst einiges über die Periode der kommunistischen Diktatur in Rumänien erzählen, die sich von der in den anderen osteuropäischen Staaten ein wenig unterschieden hat. Die Diktatur Ceauşescus war nicht nur eine kommunistische Diktatur, sondern sie war die Diktatur eines Paranoikers. Ich glaube viele Diktatoren werden zu Paranoikern, aber das war ein ganz besonders spezieller Paranoiker, und das Unglück wurde umso größer, da er noch dazu eine Frau hatte, die vollkommen ungebildet war, obwohl sie zur größten Wissenschaftlerin der Welt erklärt wurde. Dabei hatte sie nur drei Volksschulklassen absolviert. Sie können sich vorstellen wie sich eine solche Familiendiktatur auf das Land und die Menschen ausgewirkt hat. Kadar in Ungarn oder sogar Ihren nicht sehr verehrten Honecker in der gewesenen DDR kann man mit Ceauşescu nicht vergleichen. Die Menschen haben in Ungarn oder in der DDR weder gehungert, noch haben sie in Wohnungen gelebt, wo es im Winter sechs bis acht Grad kalt war, noch hat es ihnen so sehr an Medikamenten gefehlt. Tatsache ist auch, daß wir über 200.000 Waisenkinder in Rumänien haben, weil Ceauşescu wollte, daß jede Frau mindestens fünf Kinder bekommt, und er es bestraft hat, wenn es nicht so war, und daß wir viele aidskranke Kinder haben. All dies hat dazu geführt, daß die Diktatur in Rumänien ein ganz spezifisches Bild abgab.

Es war eine Diktatur, die in erster Linie gegen das eigene Volk gerichtet war, rücksichtslos, nur darauf erpicht, persönliche Macht zu haben, im Ausland, im Buckingham Palast, empfangen zu werden oder nicht nach Japan zu fahren, weil Ceauşescu etwas im Protokoll des Kaisers nicht gefallen hat. Wirklich eine krankhafte Erscheinung, aber mit schrecklichen Folgen für das rumänische Volk. Die Tragik geht auf dem Gebiet der Wirtschaft weiter. Jede Planwirtschaft ist eine Mißwirtschaft, das wissen wir heute alle, doch war die Planwirtschaft in Rumänien nicht einmal eine Planwirtschaft, sie war eine Familienwirtschaft. Alles wurde von der Familie bestimmt - wo eine Fabrik aufgebaut werden sollte, was für eine Fabrik das sein sollte, was sie produzieren sollte usw. Es ist mir gut in Erinnerung, daß Ceauşescu jeden Samstag, das wußten alle Mitbürger von Bukarest, um zehn oder elf Uhr mit seiner Frau zum sogenannten Palast des Volkes fuhr - ein schreckliches Gebäude, das größte Gebäude Europas, von dem wir nicht wissen, was wir damit anfangen sollen -, den Architekten kommen ließ und sagte: "Diesen Balkon herunter, das wird so und so gemacht". Er hat eine Stahlindustrie mit einer Kapazität von 20 Millionen Tonnen pro Jahr errichtet, wahrscheinlich eine der größten Kapazitäten pro Kopf der Bevölkerung in der Welt. Er hat eine chemische Industrie aufgebaut, die 36 Millionen Tonnen Öl pro Jahr verarbeiten kann, obwohl Rumänien nicht einmal ein Drittel dieser Menge im Lande hat. Er hat eine Schwerindustrie aufgebaut, für die Rumänien nicht die nötigen Rohstoffe besaß. Ceauşescu hat auf wirtschaflichem Gebiet ein schweres Erbe hinterlassen.

Ebenso schlimm ist, daß diese Zeit auf die Psyche der Menschen einen traurigen Einfluß hatte. Sie hat viel Leid mit sich gebracht, viel Verzweiflung. Sie wissen, daß viele Rumänen es vorgezogen haben, ihr Land zu verlassen, obwohl die Rumänen gute Patrioten sind und waren. Ein Volk, das für seine Gastfreundschaft und Freundlichkeit bekannt war, verwandelte sich über die Jahre in Menschen, die einander nicht mehr trauten, die sich gegenseitig bespitzelten, die es nicht nicht einmal wagten, mit Verwandten zu sprechen.

Rumänien war von der Welt abgeschnitten, es war verboten, Fernsehen zu empfangen, außer den zwei Stunden täglich, wo er und sie die Hauptrolle spielten. Man durfte keine Kontakte mit Ausländern haben, das mußte man der Polizei sofort melden. Man durfte zuhause keine Schreibmaschine besitzen, dafür brauchte man eine polizeiliche Genehmigung. Sie können sich vorstellen, wie unter solchen Bedingungen die Menschen in Rumänien, damit meine ich auch die Studenten und die Intellektuellen, gelebt haben.

Unter diesen Umständen, die ich nur kurz beschrieben habe, fand im Dezember 1989 die rumänische Revolution statt. Damals sind über tausend Menschen getötet und viele tausende verwundet worden. Ich war in Rumänien zu dieser Zeit, und ich sage Ihnen, das war eine Volksrevolution. Das war ein Aufstand des gesamten rumänischen Volkes gegen eine Diktatur, die nicht mehr erträglich war, und deswegen waren die Menschen bereit, ihr Leben einzusetzen. Es konnte so nicht weitergehen.

Sicherlich waren die internationalen Umstände günstig, aber ich glaube, hätte der Irrsinnige sich damals nicht entschlossen nach Teheran zu fahren, nachdem der Aufstand schon in Temesvar begonnen hatte, und dann eine seiner großen Volksversammlungen einzuberufen, auf der sich die Stimmung gegen ihn richtete, dann wäre es sehr schwer gewesen, ihn zu stürzen.

Nach diesen Ereignissen ist in Rumänien ein politisches, wirtschaftliches und organisatorisches Vakuum entstanden. Die alten Strukturen wurden quasi über Nacht weggefegt, nicht wie in anderen osteuropäischen Ländern - ich bitte Sie, das gut zu vergleichen und zu begreifen -, wo es eine jahrelange Entwicklung in diese Richtung gab. Rumänien sah sich vor dem völligen Neubeginn. Es entstand ein pluralistisches Parteiensystem, der Weg zur Demokratie wurde beschritten, und am 20. Mai 1990 haben die ersten freien Wahlen in Rumänien stattgefunden. Dazu möchte ich ein Wort sagen, ohne daß ich Parteipolitik betreiben möchte: Meiner Ansicht nach waren es freie und gültige Wahlen. Das Resultat dieser Wahlen war ein bißchen merkwürdig. Über 65 Prozent der Bevölkerung hat für die Front der Nationalen Rettung gestimmt. Die Erklärung dafür liefern die Umständen, die ich Ihnen beschrieben habe und aus denen Sie ersehen können, daß es in Rumänien praktisch keine Opposition gegeben hat und die alten historischen Parteien leider im Lande keine Kontakte mehr hatten und sich praktisch für diese Wahlen weder vorbereiten noch mit geeigneten Persönlichkeiten hervortreten konnten. Die Opposition hat auch manche Fehler begangen, indem sie immer wieder von der Abrechnung mit den alten Kommunisten gesprochen hat, was viele Menschen in Rumänien wahrscheinlich erschreckt hat. Denn es ist kein Geheimnis, daß sich unter der Zeit der Diktatur viele Rumänen dazu entschlossen haben, der kommunistischen Partei beizutreten, obwohl sie nie Kommunisten waren, nur um zu überleben.

Man konnte in Rumänien nicht studieren, ohne Mitglied des Verbandes der Jungen Kommunisten zu sein. Als Universitätsprofessor mußte man der Kommunistischen Partei angehören. Man konnte nicht einmal Ingenieur oder Facharbeiter in einem großen Werk werden, ohne Mitglied zu sein. Man muß also einen großen Unterschied machen zwischen Kommunisten und Mitgliedern der Kommunistischen Partei. Der rumänische Dichter und Widerstandskämpfer Mircea Dinescu sagte, die Zugehörigkeit zur Partei sei mehr wie ein Führerschein, wie ihn ein Autofahrer braucht, gewesen als das Bekenntnis zu einer Ideologie. Ursprünglich gab es in Rumänien fast überhaupt keine Kommunisten, denn im Jahre 1945, als der Zweite Weltkrieg zu Ende ging, hatte die kommunistische Partei nur ungefähr 1000 Mitglieder, während in der Tschechoslowakei oder in anderen osteuropäischen Staaten vor dem Krieg große kommunistische Parteien existierten. Der Kommunismus hat in Rumänien keinen Anklang gefunden. Das Ganze war eine Importware, die selbstverständlich - ich muß es mit Bedauern sagen - auch auf den Entschluß von Jalta zurückzuführen ist, wo Rumänien praktisch an die damalige Sowjetunion verkauft wurde. Aber so ist das eben in der Geschichte; man kann das nicht ändern, doch die Leiden hatten wir zu tragen und werden sie noch tragen.

Die Zurückhaltung, die man im Westen nach den Wahlen gegenüber Rumänien gezeigt hat, ist möglicherweise dadurch entstanden, daß die Ergebnisse nicht so ausgefallen sind, wie sich mancher erhofft hatte. Ich hätte sie mir vielleicht auch anders gewünscht. Vielleicht ist sie auch darauf zurückzuführen, daß es Konvulsionen im Lande gab, die Sie aus den Berichten der Presse und des Fernsehens kennen. Persönlich glaube ich, daß in einem Land, in dem eine so blutige und tragische Revolution stattgefunden hat, Konvulsionen unvermeidlich sind. Nach einem Erdbeben gibt auch immer kleinere Nachbeben. Warum man das im Westen nicht so gut verstanden hat, weiß ich nicht, und wir haben es auch heute noch mit einer gewissen Zurückhaltung gegenüber Rumänien zu tun.

Während wir von einem neuen Europa sprechen, wird in einigen westeuropäischen Ländern Osteuropa praktisch in zwei Teile getrennt. Es gibt eine gewisse Sympathie oder größere Unterstützung für die drei Reformstaaten wie Polen, Ungarn und die Tschechoslowakei und daneben für die baltischen Staaten sowie Kroatien und Slowenien, aber weniger für die anderen osteuropäischen und südosteuropäischen Staaten. Vielleicht hat man es hierbei mit einer religiös bedingten Teilung zu tun. Es sind alles rein katholische Länder, während die anderen osteuropäischen Staaten der orthodoxen Glaubensrichtung angehören.

Seien Sie versichert, daß Rumänien den Weg der Demokratie und der Marktwirtschaft geht. Es gibt keinen anderen Weg. Der Kommunismus hat in Rumänien keine Zukunft. Die politischen Reformen sind sehr weitgehend. Wir haben ein pluralistisches politisches System mit vielen Parteien, aus meiner Sicht zu vielen, aber das ist die Kinderkrankheit der Demokratie. Wir haben volle Pressefreiheit, und wer die rumänische Presse liest, dem würden die Haare zu Berge stehen, denn was darin steht, das kann man in der westlichen Presse nicht lesen. Auch das ist eine Kinderkrankheit, denn anstatt sich mit ernsthaften Problemen zu befassen, werden nur Personen angegriffen.

Jeder Rumäne hat heute, das ist für Sie selbstverständlich, für uns aber etwa ganz Neues, einen Paß und kann ins Ausland reisen, wann, wie und wohin er will - vorausgesetzt er bekommt ein Visum, was nicht immer der Fall ist, aber das ist nicht unsere Schuld. Wir haben ein Grundgesetz verabschiedet, über das ein Jahr debattiert wurde und bei dessen Entstehungsprozeß auch viele ausländische Experten gehört wurden, um so eine den heutigen Zeiten angepaßte Verfassung zu entwerfen. Im rumänischen Parlament sind alle Minderheiten vertreten. Die ungarische Minderheit ist die größte politische Oppositionspartei in Rumänien. Die deutsche Minderheit hat einen Vertreter im Parlament, obwohl sie zahlenmäßig dazu nicht berechtigt wäre. Praktisch alle Minderheiten haben einen Vertreter, ob gewählt oder nicht, im rumänischen Parlament. Aus unserer Sicht sind die Rechte der Minderheiten so gestaltet, daß sie vollkommen internationalen Standards entsprechen.

Die deutsche Minderheit in Rumänien - die Sachsen, die vor 850 Jahren und die Schwaben, die vor 250 Jahren eingewandert sind - war eine Minderheit, auf die wir stolz waren, die viel für das Land gebracht hat und mit der die Rumänen nie in Konflikt gekommen sind. Leider Gottes wurden unter der Diktatur Ceauşescus die meisten dieser Menschen gegen Geld in die Bundesrepublik verkauft und so diese Minderheit sehr verkleinert. Dies bedauern wir ganz aufrichtig. Die rumänische und die deutsche Regierung bemühen sich sehr, alles zu tun was möglich ist, um die verbliebenen Deutschen in Rumänien zu halten. Vielleicht wird es gelingen, einen Teil von ihnen zu überzeugen, nicht zu ihren reichen Verwandten zu fahren, sondern in ihrer alten Heimat zu bleiben.

Bei der wirtschaftlichen Reform in Rumänien haben wir uns für die Marktwirtschaft entschieden. Es gibt keinen sogenannten "dritten Weg", keinen

Kompromiß zwischen Markt- und Planwirtschaft. Es muß eine globale Reform sein, d.h. man kann nicht einen Teil der Wirtschaft transformieren und einen anderen Teil nicht. Sie umfaßt alle Bereiche wie Landwirtschaft, Industrie, Handel, Banken etc.. Alles muß gründlich verändert werden.

Es gibt kaum ein anderes Thema über das in Osteuropa gegenwärtig soviel diskutiert wird. Marx hat gelehrt, wie man vom Kapitalismus zum Sozialismus übergehen kann. Ob er mit dieser Theorie die Wirklichkeit richtig gedeutet hat, ist eine andere Frage. Aber es gibt keinen Theoretiker der den Weg vom Sozialismus zum Kapitalismus beschrieben hat. Alle Länder des ehemaligen Ostblocks versuchen daher zur Zeit, den richtigen Weg zu finden. Insbesondere über die Geschwindigkeit der Reformen wird gestritten wegen der ernstzunehmende Folgen für jeden einzelnen Menschen. Beim Übergang von der Plan- zu einer Marktwirtschaft entsteht Arbeitslosigkeit, wie nicht zuletzt auch in Deutschland beim Transformationsprozeß der ehemaligen DDR zu sehen ist. Rumänien aber hat keinen reichen Bruder. Daher ist das Problem der Reformgeschwindigkeit sehr schwierig. Ich persönlich glaube, und dafür hat sich auch die Regierung entschieden, je schneller, desto besser.

Erstens muß die zentralistische Wirtschaft demonopolisiert werden. Zweitens wollen wir eine umfassende Privatisierung ermöglichen. Drittens sollen die Preise liberalisiert werden. Die rechtlichen Voraussetzungen dafür sind sehr schnell geschaffen worden, schneller als in vielen anderen osteuropäischen Staaten. Wir sind das einzige osteuropäische Land, das eine vollständige Bodenreform durchgeführt hat. Wir haben eine Reform des Banken- und Finanzsystems eingeleitet und nun muß es uns darum gehen, diese Gesetze in die Praxis umzusetzen. Auf diesem Weg gibt es selbstverständlich viele Gefahren, wie zum Beispiel extremistische, nationalistische oder sogar anarchische Tendenzen, welche die Probleme, die für die Masse der Bevölkerung entstehen werden, ausschlachten. Die heutige wirtschaftliche Lage Rumäniens ist schlecht, und viele Menschen haben bereits ihr Leben unter den Verhältnissen der Diktatur vergessen, manche beginnen bereits zu zweifeln, ob sie nicht unter Ceauşescu besser gelebt haben. Sie wünschen sich zwar nicht die Diktatur zurück, aber trotzdem ist diese Entwicklung eine reelle Gefahr für Rumänien.

Nun noch einige Bemerkungen zur Außenpolitik Rumäniens. Hauptziel dieser Außenpolitik ist die Annäherung an Europa. Es werden Assoziierungsgespräche über einen Beitritt Rumäniens zur Europäische Gemeinschaft geführt. Wir sind bestrebt, Mitglied des Europarates zu werden. Wir möchten eine enge Kooperation mit der NATO und der WEU und selbstverständlich gute Beziehungen zu allen unseren Nachbarländern. Ich glaube, daß die von mir skizzierte Außenpolitik zur politischen Stabilisierung beitragen kann. Wir müssen als Nation einen schweren Kampf führen, um das Alte zu vergessen und das Neue zu lernen. Die rumänische Nation hat diesen Kampf im Dezember 1989 mit einmaliger Begeisterung begonnen. Rumänien ist aber weder Bittsteller noch Bettler gegenüber dem Rest der Welt. Wir sind davon überzeugt, eine europäische Nation zu sein, zu Europa zu gehören und ohne Europa nicht existieren zu können. Aber Europa kann auch nicht ohne Rumänien oder andere osteuropäische Staaten auskommen, wenn es wirklich in einer neuen, friedlichen Gemeinschaft leben möchte. Malraux sagte einmal: "Ich weiß nicht, was Würde bedeutet, aber ich weiß genau, was es heißt, keine Würde zu haben." Und ich glaube, daß dieser Satz auch auf Rumänien zutrifft, denn wir wollen mit Würde zu Europa gehören.

Fernando Perpiñá-Robert
Botschafter des Königreichs Spanien
(21. Januar 1992)

Vor 42 Jahren sprach an dieser Universität vor dem damaligen Bundespräsidenten Theodor Heuss und über das nahezu gleiche Thema wie ich heute der berühmte spanische Philosoph José Ortega y Gasset. Der Eintrittspreis lag bei dem seinerzeit astronomischen Betrag von fünf Mark, und die Karten waren ausverkauft, obwohl zusätzliche Säle mit Lautsprechern eingerichtet worden waren. Jedoch liegt der Unterschied zwischen jenem und diesem Vortrag nicht ausschließlich im Eintrittspreis und in der Bedeutung des Redners. Ortega y Gasset war nicht nur einer der größten Denker Spaniens, sondern auch einer unserer wichtigsten Germanisten, einer der Menschen, die am meisten zur kulturellen und intellektuellen Verständigung unserer beiden Länder beigetragen haben. Es gibt einen weiteren sehr beachtlichen Unterschied: die Zeit, in der wir leben, ist glücklicherweise ganz anders. Das Referat von Ortega y Gasset war ein Bestandteil seiner Deutschlandtournee, bei welcher außerdem noch ganz besonders die in Berlin unter dem Titel "De Europa meditatio quaedam" gehaltene Rede hervorragte. Wir werden hierauf noch zurückkommen.

Hölderlin fragte sich: "Wozu Philosophen in dürftiger Zeit?" Genauso könnten wir uns fragen: "Wozu Diplomaten in bewegter Zeit?" Die Antwort wäre glaube ich: um die Vision von Europa und seiner Zukunft, so wie wir sie in Spanien empfinden, zu erklären und voranzutreiben. Doch dafür ist ein kurzer Rückblick auf die Geschichte erforderlich, ohne den man die Gegenwart nicht begreifen, die derzeitige Außenpolitik Spaniens nicht nachvollziehen kann.

Es gibt ein Faktum, das nicht immer genügend berücksichtigt wird. Seit dem achten Jahrhundert bis ins Jahr 1492 war Spanien ein besetztes, ein kolonialisiertes Land. Und genau 1492, in dem Jahr, in dem es aufhört besetzt zu sein, beginnt es einen langen historischen Abschnitt als Weltmacht. Somit wird innerhalb eines Jahres aus dem besetzten und kolonialisierten Spanien ein

Land, das selber besetzt und kolonialisiert. Mit anderen Worten: Spanien hatte nicht die Möglichkeit, sich innerhalb eines angemessenen Zeitraums als normaler Nationalstaat zu entwickeln und zu strukturieren.

Gehen wir weiter in der Geschichte, so kommen wir zum nächsten für Spanien wichtigen und entscheidenden historischen Ereignis: dem Wiener Kongreß von 1815. Als eine beachtliche politische Kraft tritt Spanien in diese Verhandlungen ein, geht aber erstaunlicherweise als ein passiver, von anderen Ländern abhängiger Staat mit einem angeschlagenen Selbstbewußtsein aus den Beschlüssen hervor.

In dieser Situation gerät Spanien zwangsläufig in eine Selbstisolation. Ihre Machtlosigkeit bewirkt, daß die Spanier fortan als andersartig und eigentümlich gelten. Während des gesamten 19. Jahrhunderts verstärkt sich ein Teufelskreis: Je größer die Isolation der Spanier, um so andersartiger werden sie, und je andersartiger, um so stärker die Isolation. Diese politische Kurzsichtigkeit führt in Spanien im 19. Jahrhundert zu einem Provinzdenken. Es verliert sich das Interesse an außenpolitischen Problemen, und man konzentriert sich auf die innenpolitischen Belange. Man wollte einen Kult mit der Neutralität treiben, was jedoch im Verlust der Außenpolitik endete. Die Konsequenzen waren gravierend. Die fehlende Kommunikation mit dem Ausland erhöhte die schweren Spannungen im Inneren Spaniens nur noch. Nur so kann man verstehen, daß die Geschichte des gesamten 19. Jahrhunderts und auch eines Großteils des 20. Jahrhunderts für mein Land eine Geschichte des Bürgerkriegs war.

In dieser langen Zeit haben die Europäier eine sehr schlechte Meinung über Spanien. Vor allem die Gelehrten - es genügt, an Montesquieu und seine "lettres persanes", an Voltaire oder an Masson de Morvilliers mit seinem berühmten Artikel "Espagne" zu denken. Es gibt auch einige, die eine spanienfreundliche Haltung einnehmen, wie z.B. Herder: für ihn wird die spanische Kultur zur Wiege der europäischen Kultur. Und der romantische Eifer begeistert schließlich auch deutsche Autoren wie Schlegel oder Franzosen wie Dumas und findet seinen Höhepunkt bei Merimées "Carmen". Aber trotz eines intensiven Kulturaustausches mit Europa bleibt die Tendenz Spaniens bestehen, sich von Europa zu entfernen.

Im 19. Jahrhundert wird die Diskussion über Europa in Spanien besonders heftig geführt, und sie spiegelt die Haltung der verschiedenen politischen Parteien wider, insbesondere die Feindschaft zwischen den beiden Gesichtern Spaniens: dem konservativen, absolutistischen und traditionstreuen einerseits und dem liberalen, erneuernden, toleranten und demokratischen andererseits.

Die Überlegungen der sogenannten Generation von 1898 befassen sich nicht eingehend mit dem Thema Europa, weil hauptsächlich noch die Überzeugung von Isoliertheit als der Rettung vorherrscht. So bleibt Spanien während des Ersten Weltkrieges abwesend. In der Zeit zwischen den Kriegen spielen die spanischen Europa-Befürworter - hier ist es angebracht, an Salvador de Madariaga zu erinnern - eine aktive Rolle bei den ersten Versuchen, Europa in Form einer übernationalen Vereinigung zu gestalten.

Sogar Ortega y Gasset behauptete in seiner oben genannten Berliner Rede: "Die Einheit Europas ist keine Fantasie sondern die Wirklichkeit selbst, und Fantasie wäre gerade das andere, nämlich die Auffassung, daß Frankreich, Deutschland, Italien oder Spanien eigenständige und demnach vollwertige und unabhängige Realitäten sind." Und weiter: "Es ist weder möglich, die westlichen Nationen zu beobachten, ohne über die hinter ihnen wirkende Einheit zu stolpern, noch ist es möglich, diese Europäische Einheit wirklich und nicht nur mit Worten zu betrachten, ohne in ihr die unaufhörliche Gärung ihres pluralistischen Inneren zu entdecken: die Nationen. Diese unablässige Dynamik zwischen der Einheit und der Pluralität stellt meiner Meinung nach den wirklichen Gesichtspunkt dar, unter dessen Perspektive das Schicksal eines jeden westlichen Landes zu definieren ist."

Für Ortega ist die Einheit der einzige Ausweg für Europa, und er wird nie aufhören, diese Europa-Idee über seine Zeitschrift "Revista de Occidente" zu verbreiten. Gleichzeitig führte er in Spanien nicht wenige der heute in Europa gegenwärtigen Ideen ein.

Aber tatsächlich stehen sich in Spanien zwei vollkommen verschiedene Auffassungen gegenüber: der "Übernationalismus" und die europäische Idee. Der "Europäismus" strebt danach, das Leben der Gesellschaft auf der Grundlage des institutionellen Respekts für Abweichungen zu organisieren. Der "Übernationalismus" ist die Verachtung des Fremden, er ist die radikale Trennung von Freund und Feind.

Der lange Abschnitt von über 40 Jahren Franco-Regime ist ein klares Beispiel für einen "Übernationalismus". Doch unter der Oberfläche des offiziellen Spanien, entwickelte sich eine demokratische und von der europäischen Idee getragene Kraft, die nach dem Tode des Generals jeden Winkel der Gesellschaft überflutete. So ist es zu erklären, daß nach 1976 in Spanien eine Reihe wichtiger außenpolitischer Abläufe in Gang geriet, die man nach zwei großen Richtungen zusammenfassen kann: die vollständige Integration meines Landes in alle europäischen und atlantischen Vereinigungen sowie Globalisierung und Universalisierung unserer Außenpolitik.

Diese Abläufe entwickelten sich auf der Grundlage von drei Ideen, die in gleichem Maße die heutige Außenpolitik Spaniens kennzeichnen und prägen:
1. Spanien fühlt sich als vollständiger Teil der abendländischen Interessen- und Wertegemeinschaft, obwohl die Integration in einigen Fällen, wie beispielsweise auf dem Gebiet der Verteidigung und Sicherheit, eine besondere Nuancierung vorsehen muß.
2. Spanien versteht, daß eine außenpolitische Unabhängigkeit weder möglich noch wünschenswert ist, doch beansprucht es einen gewissen Rahmen an Autonomie.
3. Nachdem mein Land aus einer langen Zeit der Diktatur herausgetreten ist, hegt es als grundlegendes Ziel auch den Schutz der Menschenrechte und der demokratischen Freiheiten.

Ich möchte nun konkret die vier wichtigsten Bereiche spanischer Außenpolitik erörtern. Selbstverständlich werde ich mich besonders mit der europäischen Dimension befassen, dann mit unserer Friedens- und Sicherheitspolitik, aber auch zwei weitere Aspekte behandeln, ohne die es unmöglich wäre, die Außenpolitik meines Landes zu verstehen: das Mittelmeer und Lateinamerika.

Spanien hatte seit Mitte der 60er Jahre festgestellt, daß seine Zukunft mit der des restlichen Europa verknüpft war, obwohl die damaligen Umstände noch keine klare Annäherung ermöglichten. Dessen ungeachtet hat der Vertrag mit den Europäischen Gemeinschaften von 1970 dazu gedient, die spanische Wirtschaft und Gesellschaft auf die künftigen Vertragspartner einzustellen. Nach Überwindung der politischen Hindernisse fand sich die spanische Regierung vor einer Gemeinschaft im Krisenzustand, die kaum bereit zu Neuaufnahmen war. Nach der Tagung des Europäischen Rates in Fontainebleau nahm die Gemeinschaft ihre Festigung und ihre geographische Erweiterung in Angriff. Wenig später, im Juni 1985, unterzeichneten Spanien und Portugal ihre Beitrittserklärung zu den Europäischen Gemeinschaften.

Meines Erachtens war 1985 das Schlüsseljahr der Gemeinschaft. Neben der geographischen Erweiterung begann in jenem Jahr die Regierungskonferenz, die zur Verabsschiedung der Einheitlichen Europäischen Akte führte. Erweiterung und Festigung schlossen sich also gegenseitig nicht aus. Was wir aus dieser jüngsten Geschichte lernen, sollte auch dazu dienen, uns den durch die politische und Währungsunion und durch die neuen Beitrittsersuche sich ergebenden Herausforderungen stellen zu können.

Die heutige Situation gleicht sicherlich nicht der von 1985. Einerseits verpflichtet der Durchbruch von Maastricht uns Mitglieder noch stärker als bisher und bindet die, die es werden wollen, an größere Kompromisse. Andererseits wird die EG-Erweiterung von untereinander sehr verschiedenen Nationen angeregt. Etwas möchte ich klarstellen: Spanien ist nicht der Auffassung, daß die künftige Erweiterung der Gemeinschaft dem Prozeß der Europäischen Union widerspricht. Die Erfahrung lehrt uns folgendes: Wenn die neuen Mitglieder unsere Ziele teilen und die in den Verträgen verankerten Voraussetzungen erfüllen, kann ihr Beitrag die Standfestigkeit und die Entwicklungsfähigkeit der Gemeinschaft nur bereichern.

Spanien unterstützte von Anfang an die Bestrebungen der Länder Mittel- und Osteuropas, sich der Gemeinschaft anzunähern, und räumte wichtige Zugeständnisse ein, mit dem Ziel, die Verhandlungen über Assoziierungsverträge mit Polen, Ungarn und der Tschechoslowakei im Zeitplan zu halten. Wir sehen der Annäherung dieser drei Staaten an die Gemeinschaft mit großer Hoffnung entgegen, und sie wird in einer nicht allzu fernen Zukunft zur vollständigen Integration führen. Ebenfalls befürworten wir die Aufnahme von Verhandlungen über Assoziierungsverträge mit Bulgarien und Rumänien unter den gleichen Voraussetzungen und Bedingungen wie bei den obengenannten Staaten. Spanien hat ferner Kooperationsabkommen mit Albanien sowie mit Estland, Lettland und Litauen nach deren Eingliederung in die internationalen Beziehungen gefördert.

Was die frühere Sowjetunion angeht, gibt sich Spanien besonders Mühe, den politischen und wirtschaftlichen Übergang zu unterstützen und die Notlage der Bevölkerung in den wichtigsten Bereichen zu lindern. In diesem Sinne trägt Spanien aktiv zu den technischen, wirtschaftlichen und humanitären Hilfsprojekten bei, die von der Europäischen Gemeinschaft beschlossen wurden, und leistet außerdem eine große bilaterale Wirtschaftshilfe. Die Achtung der Staaten der früheren Sowjetunion stellt ein wichtiges Ziel der Europäischen Gemeinschaft dar, mit welchem Spanien vollkommen einverstanden ist. Vor uns steht eine schwierige Herausforderung, die wir aber mutig angehen müssen, denn es handelt sich hier um die Zukunft des gesamten europäischen Kontinents.

Trotzdem möchte ich auch andere Regionen der Welt zu nennen, mit denen die Gemeinschaft Beziehungen unterhält und denen vor allem Spanien besondere Aufmerksamkeit schenkt: das Mittelmeer und Lateinamerika. Ich werde später noch auf die bilateralen Beziehungen Spaniens zu diesen beiden Regionen zurückkommen. Wir fordern aber auch von der Gemeinschaft stärkere Bemühungen in der Zusammenarbeit mit Lateinamerika. Dies ist eine Region, der wir historisch und kulturell besonders verbunden sind, nicht nur als Spanier, sondern auch als Europäer. Außerdem handelt es sich um eine Region, die uns braucht und die auf dem Wege ist, ihre demokratischen Strukturen zu festigen.

Deutschland hat für die Haltung Spaniens großes Verständnis; nicht umsonst leistet die Bundesrepublik die größte Entwicklungshilfe an die lateinamerikanischen Länder. Die Gemeinschaft hat schon zu sehr wichtigen Projekten beigetragen, kann aber noch viel mehr leisten. Wir möchten, daß unsere Partner wissen, wie vorrangig für uns die Hilfestellung für den südamerikanischen Kontinent ist. Wir werden keine Mühe scheuen, bis wir erreichen, daß alle Partner unser Interesse teilen.

Sowohl Spanien als auch Deutschland haben eine erneuerte Mittelmeerpolitik der Gemeinschaft unterstützt. Für uns ist es wesentlich, die politische Stabilität und die wirtschaftliche Entwicklung der Anrainerstaaten des Mittelmeer zu sichern, welche die europäische Südgrenze bilden. Das beinhaltet eine bedeutende Wirtschaftshilfe und einen besseren Zugang zum europäischen Markt für die wichtigsten Exportprodukte jener Länder.

Ich möchte nun schildern, wie Spanien als junges EG-Mitglied die europäischen Einheit sieht und mich auf die in Maastricht erreichten Ergebnisse des Europäischen Rates beziehen. Für Spanien brachte der EG-Beitritt die Übernahme einer Reihe von Verantwortlichkeiten mit sich, die aus den von den Unterzeichnern der Römischen Verträge eingegangenen Verpflichtungen herrühren. Selbstverständlich war die Wirkung des gemeinschaftlichen Erbes seit dem ersten Augenblick sehr bemerkenswert in unserem Land, das an einen gewissen Handelsprotektionismus gewöhnt war, ein niedrigeres Einkommen als der EG-Durchschnitt hat und weniger entwickelt ist als seine europäsichen Nachbarn. Auf politischer Ebene bedeutete der Beitritt an sich schon eine unbestrittene Errungenschaft. Die junge spanische Demokratie fand darin eine unermeßliche Unterstützung und einen klaren Anhaltspunkt. Dies war für den damaligen Prozeß des politischen Übergangs absolut notwendig. Schließlich haben sich die politischen Kräfte und unser das europäische Projekt befürwortende Volk voll und ganz um die Anpassung an die neue Situation bemüht.

Unter solchen Voraussetzungen setzt Spanien auf eine weitergehende europäische Integration und teilt mit anderen Regierungen das Ziel eines föderativen Europas. Demzufolge hat Spanien bei den Regierungskonferenzen über die Politische Union und die Wirtschafts-und Währungsunion diejenigen Projekte unterstützt, die ein stärkeres Vorrücken im Prozeß der europäischen Einigung vermuten ließen. Einige davon, wie den Regionalrat oder die europäische Staatsbürgerschaft, hat Spanien direkt gefördert. Bei anderen bestand die spanische Haltung darin, die Thesen der Partner zu unterstützen, deren Vorstellung von der Gemeinschaft unserer eigenen ähnelt. Ich meine besonders die Bundesrepublik Deutschland, deren Vorschläge fast immer einen positiven Widerhall bei der spanischen Regierung fanden.

Ein vielleicht nicht ganz richtig verstandener Aspekt der spanischen Haltung beim letzten Gipfel in Maastricht betrifft die wirtschaftliche und soziale Kohäsion. Ich werde jetzt nicht auf die technischen Gründe eingehen, die ein solches Konzept rechtfertigen. Aus Gerechtigkeits- und auch finanziellen Gründen kann die EG-Haushaltsreform nicht mehr zurückgestellt werden. Jedoch möchte ich den politischen Grundsatz für diesen Vorschlag erläutern, dessen Wurzeln in den Römischen Verträgen selbst zu finden sind. Für Spanien stellt die Solidarität zwischen den verschiedenen Mitgliedern der Gemeinschaft eine Bedingung und eine Folge der Europäischen Union dar.

Im Einklang mit unserer Innenpolitik erwarten wir von der Gemeinschaft eine Anstrengung, die wirtschaftlichen Unterschiede der vielen Regionen zu verringern. Das heißt, auf europäischer Ebene ein Prinzip durchsetzen zu wollen, das auf staatlicher Ebene bereits angewendet wird: in Spanien in Form einer interregionalen Entwicklungsförderung und in Deutschland durch einen Ausgleichsfonds für die benachteiligten Bundesländer. Daher stellt meiner Meinung nach die Annahme des Prinzips in Maastricht einen Erfolg der Mitglieder dar, die wie wir das Ziel eines vereinten und solidarischen Europas teilen.

Zugleich beantragte Spanien eine spezifische Korrektur des Systems von Eigenmittel der EG zugunsten der weniger vermögenden Mitglieder. Damit versucht Spanien die Beibehaltung eines ungerechten Einkommenssystems zu verhindern, denn es beschafft der Gemeinschaft keine ausreichenden Mittel zur Bewältigung der täglich größer werdenden wirtschaftlichen Pflichten. Damit will ich nicht behaupten, Spanien sei zum Netto-Empfänger von gemeinschaftlichen Mitteln berufen. Ganz im Gegenteil. Die Regierung besteht auf der Konvergenz unserer Wirtschaft mit den fortschrittlichsten Länder Europas und zwar in dem Zeitraum, der uns ermöglicht, bei der dritten Phase der Wirtschafts und Währungsunion dabei zu sein. Dafür unternehmen wir zur Zeit Anstrengungen, die alle Bevölkerungsschichten berührt und mit der die in Maastricht angezeigten Ziele erreicht werden sollen, insbesondere bezüglich der Haushaltsdisziplin, der Preiskontrolle und der Zinssätze.

Noch einige andere Aspekte des europäischen Unionsprozesses möchte ich erwähnen, die für Spanien von großer Bedeutung sind. Dabei denke ich an die

Sozialpolitik, die europäische Staatsbürgerschaft, den Regionalrat und die Rolle des Europäischen Parlamentes in der gesetzgebenden Funktion der Gemeinschaft.

Spanien hätte, wie Deutschland, sehr gerne eine Übereinkunft der Zwölf zur Sozialpolitik gesehen. Es konnte leider nicht sein, aber der spanischen Regierung verbleibt der Eindruck, daß dieser soziale Aspekt unvermeidbar in die Europäische Union eingegliedert sein wird. Einen bemerkenswerten Erfolg gab es bezüglich einer europäischen Staatsbürgerschaft. Diese war ursprünglich ein Vorschlag Spaniens, sie wurde zufriedenstellend im Vertragstext aufgenommen und trägt meiner Meinung nach dazu bei, daß wir Spanier und Deutsche uns auch als europäische Staatsbürger fühlen.

Für Spanien und Deutschland bedeutet die Errichtung eines Regionalrates die Anerkennung unserer nationalen Verhältnisse auf europäischer Ebene. Wie bisher werden wir uns auch weiterhin für eine Gemeinschaft aussprechen, die den Regionen eine wichtige Rolle beim Aufbau Europas zuspricht. Spanien hat nicht alle seine Ziele bei den Zuständigkeiten des Europäischen Parlamentes erreicht. Wie Deutschland, so wünschen auch wir uns eine stärkere Mitwirkung des Parlaments bei den gesetzgebenden Mechanismen der Gemeinschaft.

Wie sieht die spanische Haltung zur gemeinsamen Außen- und Sicherheitspolitik aus. Für unsere Regierung ist die äußere Identität Europas eine logische und erwünschte Folge der politischen Union. Diese Identität sollte sich durch Entscheidungsfähigkeit auf der Grundlage qualifizierter Mehrheiten äußern. Dieses Ziel wurde noch nicht erreicht, doch ich bin zuversichtlich, daß es bald soweit sein wird.

Europa muß mit seiner neuen Struktur und seiner neuen Kraft fähig sein, Verantwortung jenseits seiner Grenzen zu übernehmen und dafür braucht es einen schnellen Entscheidungsmechanismus. Dieses Bedürfnis wird von Tag zu Tag sichtbarer in dieser atemberaubend sich wandelnden Welt, die ständig schnelle Anworten verlangt. Europa hat die Pflicht, diese Antworten zu geben. Ohne Zweifel auch zu Fragen der Sicherheit und Verteidigung. Daher sieht Spanien wohlwollend der Integration der Westeuropäischen Union im Prozeß der europäischen Einigung entgegen, deren Ziel das Erreichen einer gemeinsamen Verteidigungspolitik ist, die selbstverständlich mit der Politik der Atlantischen Allianz vereinbar sein kann.

Für Spanien beweisen die Golfkrise und vor allem die Situation in Jugoslawien in tragischer Weise, daß Europa einer gemeinsamen Außen- und Sicherheitspolitik bedarf. Spanien nimmt zur Zeit besonders aktiv an den Versuchen zur Lösung des Konflikts teil und ist bereit, jede Verantwortung zu übernehmen, die sich aus den gemeinsamen Beschlüssen der Zwölf ergeben, und gleichzeitig das europäische Interesse jeder weiteren Betrachtung vorzuziehen.

Drei Grundtatsachen bestimmen die spanischen Position in der Friedens- und Sicherheitspolitik. Erstens ist unser Land, abetrennt durch die Pyrenäen, mehr wie eine Insel als eine Halbinsel - eine Insel aber auch im historischen Sinne, aus den Gründen der bereits erwähnten jahrelangen politischen Isolation Spaniens. Zweitens ist die sonderbare Auffassung Spaniens von Bedrohung zu nennen, die aus historischen und geographischen Gründen anders ist als in den restlichen europäischen Ländern. Und drittens haben wir eine gewisse Untergrundbeziehung zur westlichen Verteidigungsgemeinschaft während der langjährigen Regierung des Generals Franco unterhalten.

Das Bündnis mit den USA während jener Zeit war nicht gerade das geeignetste Mittel zur Wahrung unserer Interessen. In Wirklichkeit verhalf es zu einer gewissen internationalen Rehabilitierung des Franco-Regimes, es war aber ungleich, weil es die Überlassung von Stützpunkten als Gegenleistung für Wirtschaftshilfe vorsah. So konnte mit Recht behauptet werden, daß Spanien zum Alliierten der USA geworden war, jedoch die USA keine Allierten Spaniens waren. Als Folge dieser Lage macht sich in unserem Land allmählich Antiamerikanismus breit, der erst seit kurzer Zeit nach und nach überwunden zu sein scheint.

Mit der Wiedererlangung der Demokratie 1976 wurde es notwendig, neue Richtlinien für eine spanische Friedens- und Sicherheitspolitik festzulegen. Diese Politik stützte sich auf drei grundlegende Prinzipien: die Teilnahme an der Atlantischen Allianz außerhalb der integrierten Militärstruktur, die Aufrechterhaltung des Prinzips eines nuklearwaffenfreien Landes und der Abbau der militärischen Präsenz Amerikas.

Spanien brauchte ein neues Muster für seine bilateralen Beziehungen zu den USA, um sowohl die Funktionsstörungen der Vergangenheit zu bewältigen als auch die neue spanische Realität zu berücksichtigen. Obwohl viele Staaten wenig Verständnis für das Beharren Spaniens auf der Auflösung amerikanischer Militärstützpunkte zeigten, beinhalten die neuen spanisch-amerikanischen Verträge einen außerordentlich positiven Wandel und schaffen somit einen neuen Stil in den Beziehungen, die nun ausgeglichen und reif sind, mit anderen Worten: eine richtige Allianz.

Selbstverständlich haben die übergreifenden Veränderungen der letzten drei Jahre in Europa nicht nur die spanische Sicherheitslage verwandelt, deren besondere Betrachtungsweise aufgehört hat. Heutzutage unterscheidet sich unsere Auffasung von der Atlantische Allianz, der WEU, der Europäischen Gemeinschaft und ihrem möglichen Sicherheitsauftrag so gut wie gar nicht von den Auffassungen unserer europäischen Verbündeten - ich meine hier ganz konkret auch die Bundesrepublik Deutschland.

Bis vor kurzem, schien Europa nur eine einzige Grenze mit einem Spannungsrisiko zu haben: die östliche Grenze. Vielleicht hat der Golfkrieg vielen europäischen Ländern erst die Augen geöffnet für eine zweite ebenfalls in starkem Maße konfliktreiche Grenzregion: die des Mittelmeers. Für Spanien ist das nichts Neues. Bedenken Sie, daß mein Land nur 15 Kilometer von Afrika und den Ländern des Maghreb entfernt ist. Dies erklärt auch zum Teil die eigenen Ansichten Spaniens zu den Themen der Sicherheit und der Verteidigung, seine besondere Auffassung von Bedrohung, die in Spanien nicht nur als ein Erbe von Jalta entstanden war. Sicher ist, daß bis vor kurzem bei der Aufzählung internationaler Veränderungen das Mittelmeer nur als zweitrangig und angrenzend, selten jedoch in seiner eigenständigen Beschaffenheit genannt wurde. Aber wenn wir den heutigen Schauplatz des Mittelmeers untersuchen, stehen wir vor einer besorgniserregenden Diagnose. Es ist vor allem ein Grenzgebiet, in dem verschiedene politische und ideologische Systeme sowie deutliche wirtschaftliche und soziale Ungleichheiten aufeinandertreffen.

Die wirtschaftliche Gleichgewichtsstörung zwischen beiden Ufern vergrößert sich, die Wachstums- und Ertragsverhältnisse entfernen sich weit voneinander, das Ausmaß der südlichen Auslandsverschuldung wächst alarmierend. Es gibt Schwierigkeiten, die Selbstversorgung bei der Ernährung zu erreichen. Kein Staat des südlichen Ufers deckt durch den eigenen landwirtschaftlichen Anbau mehr als 40 Prozent des Bedarfs an Getreide. Wenn Sie bedenken, daß die Völker dort ein enormes Bevölkerungswachstum, eine sehr hohe Arbeitslosigkeit und einen starken Zuwachs an Großstädten aufweisen, werden Sie auch verstehen, daß wir wirklich vor einer Reihe explosiver Sprengladungen stehen. Im Vergleich zum nördlichen Ufer, wo die Bevölkerung altert, bietet sie uns am südlichen Ufer beunruhigende Zahlen und Statistiken. Im Jahre 2025 werden die südlichen Mittelmeeranrainer ihre jetzige Bevölkerung verdoppelt haben. Wenn sich diese Tendenz fortsetzt, wird die EG über 25 Millionen Einwanderer aufnehmen müssen.

Die südlichen Staaten erleben zur Zeit einen tiefgreifenden Prozeß der Suche nach der eigenen Identität. Die politischen Muster, die in den letzten 30 Jahren Anwendung fanden, haben nicht dazu verholfen, in diesen Ländern ein endgültiges Gesellschaftsmodell zu strukturieren und aufzubauen. Nicht die

Wiederkehr der traditionellen islamischen Bewegungen ist das Besorgniserregende, sondern Tendenzen, die aus dem religiösen Vermächtnis ein politisches Instrument zur Veränderung der Gesellschaft machen wollen. Einen stabilen und sicheren Mittelmeerraum erreichen wir nur über eine Ordnung der Toleranz von Werten, des Wachstums und des Wohlstandes, von der alle Bevölkerungsgruppen des Mittelmeerraumes profitieren.

Es gab bereits zahlreiche Versuche, ein Gesamtsystem für die Beziehungen am Mittelmeer einzuführen. Der neue internationale Kontext verleiht der Mittelmeerproblematik einen neuen Umfang. Die Verringerung von Ost-West-Spannungen bringt nunmehr die Nord-Süd-Spannungen ans Licht, und dies führt zur Erneuerung der in den siebziger Jahren begonnenen EG-Mittelmeerpolitik und daher auch zur Wiederaufnahme des europäisch-arabischen Dialogs.

Das Bewußtsein des extrem konfliktreichen Charakters des Mittelmeerraumes brachte Spanien und Italien auf den Gedanken, die Initiative zu ergreifen und vor verschiedenen internationalen Foren die Möglichkeit vorgeschlagen, nach der positiven Erfahrung der KSZE einen ähnlichen Prozeß mit den Mittelmeerländern zu starten. Selbstverständlich sind wir alle davon überzeugt, daß diese Konferenz über Sicherheit und Zusammenarbeit am Mittelmeer (KSZM) die wesentlichen Unterschiede zwischen der Ost-West- und der Nord-Süd-Problematik berücksichtigen muß. Aber ebenfalls wäre es für uns folgerichtig, die drei grundlegenden Prinzipien, auf welche sich der Helsinki-Prozeß stützte, auf das Mittelmeer anzuwenden. Es ginge demnach darum, den Dialog aufzunehmen und Lösungen für die Probleme auf den Gebieten der Sicherheit, der Zusammenarbeit und der Menschenrechte anzustreben.

Diese KSZM müßte stufenweise, vollständig und global aufgebaut werden und dabei natürlich stets vor Augen haben, daß die Erörterung der Sicherheitsthemen am Mittelmeer niemals der in Europa gleichzustellen ist und daß die Behandlung der Menschenrechtsproblematik viel schwieriger und komplizierter ist, wenn der Dialog mit Ländern von verschiedenen kulturellen und religiösen Traditionen erfolgt. Aber es ist offenkundig, daß Zusammenarbeit erforderlich ist, um die wirtschaftlichen und sozialen Unterschiede zu reduzieren und gleichzeitig das schwerwiegende Problem der starken Auswanderungsströme einzudämmen, und daß dies nicht mit polizeilichen Maßnahmen erfolgen soll, - denn das würde im Endeffekt nichts bewirken.

Die KSZM könnte einen Rahmen für die Integration und die Ordnung am Mittelmeer darstellen, jedoch sind sich die für diese Initiativen verantwortlichen Länder bewußt, daß wir derzeit versuchen eine neue internationale Ordnung zu schaffen. Auch beobachtet man die Nahost-Friedensgespräche mit starken Erwartungen, die nicht enttäuscht werden dürfen. Daher ist zunächst eine Denkpause für die KSZM eingetreten. Wir glauben aber weiterhin, daß diese Konferenz als Zukunftsaussicht ihre Gültigkeit behält.

Die europäische Verpflichtung Spaniens hat einige auf den Gedanken gebracht, dies könnte ein Vergessen Iberoamerikas zur Folge haben. Das ist vollkommen falsch. Spanien kann sich nicht von Iberomerika lossagen. Es gibt keinen Widerspruch zwischen der Außenpolitik Spaniens gegenüber Europa und gegenüber Iberoamerika. Eigentlich existiert gar keine spanische Außenpolitik für Iberoamerika, da dieser Staatenverbund ein Teil unseres Selbst ist, unserer Geschichte.

Viele Jahre hindurch begegnete Spanien Iberoamerika mit einem gewissen Maß an Paternalismus. Man sprach über die Lateinamerikaner nur mit wortreichem Pathos. Doch nun haben sich die Dinge geändert. Es ist auch darauf hinzuweisen, daß nach einer langen Zeitspanne fehlender Abstimmung mit den Vereinigten Staaten von Amerika aufgrund der verschiedenen Sichtweise der Probleme Lateinamerikas sich die Situation merklich verbessert hat. Und heute wissen wir alle, daß Präsident Bush auf die Ratschläge des spanischen Regierungschefs großen Wert legt.

Wir dürfen nicht aufhören, darauf hinzuweisen, daß es Ungleichgewichte gibt zwischen den gesellschaftlichen, wirtschaftlichen und politischen Strukturen. Obwohl fast alle iberoamerikanischen Länder eine demokratische Regierung haben, handelt es sich bei der Mehrzahl um sehr arme und somit um sehr schwache Demokratien. Wir dürfen nicht vergessen, daß der Frieden noch keine Gerechtigkeit garantiert. In diesem Sinne ist die Auslandsverschuldung der lateinamerikanischen Staaten ein sehr großes Risiko für das innere Gleichgewicht und auch für die demokratische Stabilität.

Sowohl in der Europäischen Gemeinschaft wie auch in anderen internationalen Vereinigungen plädiert mein Land daher immer für eine großzügige Behandlung des Schuldenproblems wie auch für Hilfe zur gesellschaftlichen und wirtschaftlichen Entwicklung der lateinamerikanischen Staaten und für Unterstützung bei ihren Integrationsprozessen. Wir sind der Überzeugung, bereits eine Gemeinschaft mit hauptsächlich gemeinsamer Kultur zu sein, jedoch ebenfalls mit gemeinsam zu verteidigenden Interessen und der Notwendigkeit einer starken Zusammenarbeit. Auch wenn Gegenteiliges behauptet wird, bedarf Spanien Lateinamerikas, seiner potentiellen Wachstumskraft und seines kreativen Leistungsvermögens.

Die 500-Jahresfeier 1992 ist für Spanien ein Ausgangspunkt und bedeutet nicht eine Gelegenheit, sich nur auf positive oder negative, auf lobende oder kritische Betrachtungen eines Abschnitts unserer Geschichte zu beschränken. 1992 beinhaltet eine lebendige Wirklichkeit und die Stetigkeit des Strebens nach einem qualitativen Schritt in unserem Verhältnis zu Lateinamerika und muß daher auf neuer Grundlage die Festigung der Beziehungen zwischen beiden Atlantikufern bewirken.

Die religiöse Unterweisung in unserer Kindheit lehrte uns die zehn Gebote. Ich denke, ich könnte bezüglich der spanischen Außenpolitik ebenfalls von zehn Geboten sprechen:

1. Absoluter Vorrang der Entwicklung der Europäischen Gemeinschaft, nicht nur im Bereich der wirtschaftlichen, sondern auch der politischen Einheit.
2. Diese Entwicklung der Gemeinschaft darf aber einer Öffnung für andere europäische Staaten nicht im Wege stehen.
3. Es ist notwendig, den KSZE-Prozeß an die neuen Herausforderungen in Europa anzupassen.
4. Die Aufrechterhaltung der Atlantischen Allianz, wenn auch unter Berücksichtigung und Anpassung an die neue Weltsituation.
5. Den bilateralen Dialog zwischen Europa und den Vereinigten Staaten von Amerika am Leben zu erhalten.
6. Die Stärkung der historischen Bande mit Lateinamerika und die Unterstützung seiner demokratischen und wirtschaftlichen Entwicklung.
7. Die Förderung eines Klimas vestärkter Sicherheit und Zusammenarbeit im Mittelmeer und in Nahost.
8. Die Verteidigung der Menschenrechte.
9. Die internationale Zusammenarbeit im Kampf gegen den Terrorismus. Spanien, das dieses Problem am eigenen Leibe erfährt, unterscheidet hierbei nicht zwischen nationalem und internationalem Terrorismus.
10. Verbesserung des Nord-Süd-Dialogs zur Entschärfung sozialer und wirtschaftlicher Spannungen in der Welt.

Gleich unserem Katechismus, kann man diese zehn Gebote in zwei zusammenfassen: Verstärkung und Öffnung der Europäischen Gemeinschaft sowie internationale Zusammenarbeit. Das Schlüsselwort der spanischen Außenpolitik heißt Zusammenarbeit. Denn Zusammenarbeit bewirkt Gerechtigkeit, Gerechtigkeit bringt Sicherheit hervor, und Sicherheit erzeugt Frieden.

Alexandre Zafiriou
Botschafter der Republik Griechenland
(28. Januar 1992)

Wenn wir heute von Europa sprechen, stellt sich die Frage, welches Europa wir im Sinn haben. In der Vergangenheit hatte dieser Begriff eine starke geographische Konnotation. Es war auch der Hinweis auf ein gemeinsames kulturelles Erbe aller seiner Einwohner. Nach dem Zweiten Weltkrieg schrumpfte Europa auf seine westliche Hälfte zusammen und hatte trotz dieser Amputation Erfolg. Das Wiedererreichen seiner alten Dimensionen fällt mit der fieberhaften Suche nach einer neuen politischen und wirtschaftlichen Rolle in der Welt zusammen.

So ist man berechtigt, von neuem zu fragen: Welches Europa?

- Das Europa der Europäischen Gemeinschaften und, wenn es so ist, in der Perspektive welcher Art von Integration, in der Perspektive welcher Art von Erweiterung?
- Das Europa des Europarates, der europäischen Mitglieder der NATO oder der KSZE und, wenn ja, mit welcher neuen Rolle für diese Institutionen?
- Das Europa der Staaten oder das Europa der Regionen?
- Das Europa der Zusammenarbeit oder das Europa der Antagonismen?
- Das Europa als Festung oder des freien Handels?

Wo endet jetzt Europa? An den Grenzen von Rußland und der Ukraine? Am Ural? In Wladiwostok?

Es gibt meiner Meinung nach zwei Grundelemente, die wir nicht aus unserer Sicht verlieren sollten. Auf der Ebene der Regierungen hat Europa sehr schnell begriffen, daß neue Formen einer erweiterten Zusammenarbeit nötig sind - Formen, die sich aufgrund der vorhandenen Möglichkeiten und der verfolgten Ziele von Fall zu Fall unterscheiden. Jemand sprach eines Tages von der Notwendigkeit einer "Neuen Europäischen Architektur". Seitdem ist dieser Ausdruck inoffiziell angenommen worden, aber seine Bedeutung wurde evolviert.

Auf der Ebene der Bürger ist es sehr schnell klargeworden, daß, wie Außenminister Genscher sagte, "der Weg des Nationalismus der Weg ist, der zu der tragischen Auswegslosigkeit des alten traditionellen Denkens führt". Das heißt, daß "wir uns unvermeidlich in Situationen wiederfinden würden wie in der Vorkriegszeit mit ihren Machtspielchen, mit ihren wechselnden Koalitionen und ihren bitteren Antagonismen um mehr Einfluß". So der niederländische Ministerpräsident. Deswegen sollte allen die Bedeutung eines harmonischen Zusammenlebens bewußt sein. Und deswegen "brauchen wir", wie es Präsident Mitterrand formulierte, "mehr Freiheit für jeden und stärkere gemeinsame Institutionen für uns alle".

Welche sind nun die Probleme, mit denen heute Europa nach der Auflösung des Sowjetischen Reiches, aber auch der Sowjetunion selbst, konfrontiert wird? Diese historischen Entwicklungen - ihr unerwarteter, universaler und radikaler Charakter, die Botschaft der Freiheit für Millionen von Menschen, der Fall der Mauern, die Europa und insbesondere Deutschland in zwei konkurrierende Räume teilten, die Erleichterung auf der ganzen Welt wegen der Beseitigung der Gefahr eines atomaren Holocausts - diese neuen erschütternden Situationen und Perspektiven haben die Völker mit Begeisterung und Optimismus erfüllt. Eine Stimme sogar, der Amerikaner Francis Fukuyama, hat bereits das "Ende der Geschichte" prophezeit.

Die Nebenwirkungen dieser glücklichen Entwicklungen waren im großen und ganzen voraussehbar. Die Ausmaße, die wenigstens einige von ihnen angenommen haben, sind jedoch dramatisch.

Erstens, die Unbehaglichkeit, die Unsicherheit und manchmal die Frustration der Menschen, da sich während der Übergangsperiode der ökonomischen Umstrukturierung die materiellen Lebensbedingungen in mehreren Fällen verschlechtert haben. Diese Situation führt zum Wiedererwachen von alten Animositäten.

Zweitens, die finanziellen Schwierigkeiten haben die Gefahr von Flüchtlingsströmen, von Völkerwanderungen großen Ausmaßes heraufbeschworen, die, falls sie zur Realität wird, die Probleme der Ursprungsländer verschlimmern und ihre vor kurzem aufgebauten Institutionen destabilisieren könnte. Dabei sollte man ihre Konsequenzen für die Wirtschaft und den sozialen Frieden im Westen nicht vergessen.

Drittens, es sieht so aus, als ob ein zentrifugaler Impetus zu herrschen beginnt, der zu gewaltigen Spannungen und Konfrontationen zwischen Regionen, zwischen Mehrheiten und Minderheiten führen könnte, zu Konflikten, die, wenn sie nicht angemessen behandelt werden, zu Bürgerkriegen ausarten. Das ist in Jugoslawien bereits passiert. Für diesen Fall haben die Europäischen Gemeinschaften und ihre Mitgliedstaaten gemeinsam Kriterien aufgestellt, die erfüllt werden müssen, damit die einzelnen Republiken dieses Landes als unabhängige Staaten anerkannt werden, falls sie es wünschen. Diese Kriterien beziehen sich sowohl auf die Achtung der Menschenrechte im allgemeinen und der Minderheitenrechte im besonderen als auch, im Falle einer dieser Republiken, auf die verfassungsrechtlichen und politischen Garantien, daß sie (a) keine Gebietsansprüche gegen ein EG-Nachbarland erhebt und (b) keine feindselige Propaganda gegen dieses EG-Nachbarland betreibt, einschließlich des Gebrauchs einer Bezeichnung, die auf Gebietsansprüche hindeutet. Denken wir dabei nicht nur an die dramatische Situation in Jugoslawien. Der letzte Präsident der Sowjetunion soll gesagt haben, daß im Vergleich zu den Risiken in seinem Land "die jugoslawische Frage eines Tages als sehr einfach erscheinen könnte."

Viertens, besteht die Aussicht auf die Entstehung neuer Nationalstaaten mit schwierigen Finanz- und Minoritätsproblemen und die damit verbundene Gefahr von erbitterten Konkurenzkämpfen. Weitverbreitet ist auch die Furcht, daß die Nuklearsysteme und -waffen, die sich in der Ex-Sowjetunion befinden, in die Kontrolle von unbekannten Händen geraten oder, noch schlimmer, ein Teil von diesen Waffen bzw. das entsprechende Know-how in Drittländer exportiert werden könnte.

Diese Probleme stellen für Europa die allergrößte Herausforderung dar, eine Herausforderung, deren erfolgreiche Bewältigung für Europa neue Mittel, neue Vorgehensweisen sowie vor allem geeignete Organisation, Zusammenarbeit und Koordinierung voraussetzt. Ich erinnere an den Begriff "Neue Europäische Architektur". Aber worauf wird sie sich stützen? Haben die heute in Europa funktionierenden Institutionen Möglichkeit und Willen, die Zukunft zu bewältigen? Welche Auffassungen vertritt Griechenland zu diesem Thema?

Die Institutionen, die ich meine, sind allen bekannt: Die Europäischen Gemeinschaften, die NATO, die Westeuropäische Union, die KSZE und der Europarat. Beginnen wir mit den Europäischen Gemeinschaften. An diesem Punkt ist es nützlich, sich an das zu erinnern, was in Maastricht zur politischen und wirtschaftlichen Vereinigung der Europäischen Gemeinschaften vereinbart wurde.

Die zwölf Mitgliedstaaten werden eine Politische Union bilden. Die Bürger jedes Mitgliedstaates werden auch Bürger Europas sein. Zum ersten Mal werden die Zwölf eine gemeinsame Außenpolitik betreiben. Bis jetzt werden die Außenpolitiken nur koordiniert. Nach den Maastricht-Beschlüssen wird es ein gemeinsames Vorgehen geben, mit der Zeit auch eine gemeinsame Verteidigung.

Die Gemeinschaft hat bereits Ende 1989 die Europäische Sozialcharta angenommen. Sie verschafft sich heute die Mittel für eine Sozialpolitik, indem sie in bestimmten Bereichen mit qualifizierter Mehrheit beschließt. Sie wird auch in verschiedenen anderen und für die Zukunft wichtigen Bereichen immer aktiver werden: Industrie, Forschung, Umweltschutz, große Transportnetze, Verbraucherschutz, Gesundheit, Berufsausbildung und Kultur.

Das Europäische Parlament wird an der Vorbereitung und der Annahme von Gesetzestexten in wichtigen Bereichen in vollem Umfang teilnehmen. Es kann insbesondere mitentscheiden bei Maßnahmen mit Bezug auf den Binnenmarkt, auf Umwelt, Forschung, Niederlassungsfreiheit, Arbeitnehmerfreizügigkeit, transeuropäische Verkehrsnetze, bei Programmen zur Bildung, Kultur, Gesundheit und beim Verbraucherschutz. Außerdem wurden in den Bereichen der polizeilichen Zusammenarbeit und der Justiz die Fundamente einer gemeinsamen Politik gelegt. Das alles stellt einen bedeutenden Schritt in Richtung eines stärker föderalistischen und vereinten Europas dar. Die Zwölf werden sich erneut im Jahre 1996 treffen, um weitere Schritte in diese Richtung zu unternehmen.

Für die Wirtschafts- und Währungsunion sieht die Einigung folgendermaßen aus. Der Europäische Rat wird ab 1996 mit qualifizierter Mehrheit seine Beschlüsse für den Übergang zu der gemeinsamen Währung fassen können, sobald mindestens sieben Mitgliedstaaten das erforderliche Niveau der Konvergenz ihrer Wirtschaften erreicht haben. Auf jeden Fall wird die gemeinsame Währung spätestens zum 1. Januar 1999 eingeführt. Für diejenigen Mitgliedstaaten, deren Wirtschaftsleistung nicht den in Maastricht festgesetzten Kriterien entsprechen würde, ist eine Übergangszeit vorgesehen.

Mit der unabhängigen Europäischen Zentralbank wird es, um den Europäischen Rat, die Kommission und den Rat der Wirtschafts- und Finanzminister herum, eine starke und demokratische Wirtschaftsbehörde geben. Inzwischen beginnt am 1. Januar 1994 die zweite Phase, wenn das Europäische Währungsinstitut gegründet wird. Sein ständiger Präsident wird vom Europäischen Rat ernannt. Das Institut hat dann als seine wesentliche Aufgabe die strenge Koordinierung der Währungspolitiken.

Wie es in der gemeinsamen Erklärung vom 10. Dezember 1991 heißt, sind die Mitgliedstaaten der WEU entschlossen, zugunsten der Stabilität und der Sicherheit in Europa, die Beziehung der WEU zu den anderen europäischen Staaten auf eine neue Basis zu stellen, da sie die Rolle der WEU als Verteidigungskomponente der Europäischen Union und als Mittel für die Stärkung des europäischen Pfeilers der Atlantischen Allianz ansehen. Staaten, die Mitglieder der Europäischen Union, aber nicht der WEU sind, werden eingeladen, ihr beizutreten oder als Beobachter teilzunehmen. Andere europäische Mitgliedstaaten der NATO sind eingeladen, assoziierte Mitglieder der WEU zu werden.

Griechenland hat sich von Anfang an unter anderem für folgende Ziele eingesetzt hat:
(a) Eine übernationale Organisation der EG-Mitgliedstaaten - eine Organisation, die zu einer gemeinsamen Politik im Bereich der Außenbeziehungen, der Sicherheit und stufenweise auch im Bereich der Verteidigung führt. Die WEU soll das Grundelement der Verteidigung des vereinten Europas sein. Dies hindert sie aber nicht, gleichzeitig ein Mittel zur Stärkung der europäischen Komponente der NATO zu werden.
(b) Die Wirtschafts- und Währungsunion, in deren Vorbereitungszeit sowohl kollektiv, seitens derGemeinschaft, wie auch vereinzelt, seitens der Mitgliedstaaten, jeder Versuch unternommen werden sollte, damit eine tatsächliche Konvergenz der Wirtschaften aller Mitgliedstaaten erreicht wird.
(c) Die Verstärkung der demokratischen Kontrolle, mehr Befugnisse für das Europäische Parlament, insbesondere im Bereich der Mitbestimmung.
(d) Die Erweiterung der Befugnisse der Europäischen Gemeinschaften auf bisherige Tätigkeitsbereiche der nationalen Regierungen, insbesondere im Sozialbereich und schließlich -
(e) die Einführung der Europabürgerschaft.

Um vor allem die Herausforderungen der Wirtschafts- und Währungsunion zu bewältigen, gestalten wir unsere Wirtschaftspolitik wie folgt: Die weitgesteckten Ziele sind die Stabilisierung, d.h. die Aufhebung der Ungleichgewichte, die nicht nur an sich unerwünscht sind, sondern auch allen Bemühungen um Produktionssteigerung entgegenwirken, und die Umstrukturierung der Wirtschaft. Als Hebel dazu dient die Verminderung des staatlichen Anteils an der Gesamtwirtschaft - z.B. durch die Privatisierung von unter staatlicher Kontrolle sich befindenden Unternehmen - mit gleichzeitigem drastischen Abbau der Defizite wie auch des Kreditbedarfs des öffentlichen Sektors, die hauptsächliche Quelle der heutigen Ungleichgewichte.
Die quantitativen Hauptziele sind die Senkung der Inflationsrate auf eine einstellige Zahl, was schon wegen der bevorstehenden Eingliederung der Drachme in den Europäischen Währungskorb erwünscht ist, und der völlige Abbau des ausländischen Nettokreditbedarfs.

Die quantitativen finanzwirtschaftlichen Hauptmittel sind die drastische Einschränkung des Nettokreditbedarfs des öffentlichen Sektors und der völlige Abbau des staatlichen primären Defizits und seine Umwandlung in einen primären Überschuß. Angestrebt wird auch ein Zuwachs der Steuereinnahmen, der um zwei bis drei Prozent über dem Wachstum des nominalen Bruttosozialprodukts liegen soll; dazu die völlige Beseitigung der Steuerhinterziehung. Desweiteren sollte die Zunahme der Staatsausgaben in den nächsten drei Jahren durchschnittlich um vier bis fünf Prozent unter dem Durchschnitt der Inflationsrate bleiben, und die staatlichen Subventionen müssen gekürzt werden.
Weiter verfolgt wird eine restriktive Währungspolitik, die Stabilität als Ziel hat. Durch die Verminderung des Kreditbedarfs des öffentlichen Sektors soll der jährliche Rhythmus der gesamten Kreditexpansion verlangsamt werden. Es wird erwartet, daß die Zinssätze zurückgehen, da in Zukunft der größte Teil der zur Verfügung stehenden Kreditmittel der Privatwirtschaft gewährt wird. Die Devisenpolitik wird die Erhöhung der Wettbewerbsfähigkeit anstreben. Notwendig sind strukturelle Änderungen im Bankwesen, an der Börse und auf dem Kreditmarkt wie auch die rasche Anpassung an die EG-Regelungen. Die Einkommenspolitik wird in Zukunft immer mehr aufgelockert werden, in dem Maße, in dem wir über das Ziel einer niedrigen Inflation hinausgelangen.

Parallel zu diesen Bemühungen auf nationaler Basis, ist jedoch die Solidarität der Europäischen Gemeinschaft von entscheidender Bedeutung. Die Entscheidung in Maastricht, einen Kohäsionsfonds zu errichten, stellt einen fühlbaren Beweis für eine solche Solidarität dar. Er soll in den wirtschaftlich schwächeren Mitgliedstaaten zur Finanzierung bedeutender Infrastrukturprojekte dienen (Flughäfen, Häfen, Verkehrs- und Telekommunikationsnetze, Energieversorgung) wie auch bedeutender Projekte zum Schutz der Umwelt (Reinigung von Binnenmeeren, Entwässerungsanlagen, Kläranlagen oder die Auslagerung von städtischen Zentren umweltverschmutzender Industrien). Zur Konvergenz der Wirtschaften der Mitgliedstaaten sollen auch die sogenannten Strukturfonds beitragen. Sozialfonds, Regionalfonds und Ausrichtungsfonds für die Landwirtschaft werden angesichts der Beschlüsse für die Wirtschafts- und die Währungsunion weiter verstärkt und wirken unter bestimmten Voraussetzungen in lebenswichtigen Bereichen der Wirtschaft.

Nach diesen eher weitläufigen Ausführungen zu den Beschlüsse von Maastricht lassen sie uns auf die Gemeinschaft als eine Institution der europäischen Architektur zurückkehren. Der Erfolg von Maastricht hinsichtlich der Politischen Union Europas wird in die fortschreitende Ausstattung der

Europäischen Gemeinschaft mit Institutionen und Mitteln umgesetzt werden, die es ihr ermöglichen, im Bereich der Außen- und der Sicherheitspolitik gemeinsame Positionen zu beziehen, schließlich auch im Bereich der Verteidigung. Durch den Erfolg der Bemühungen um Vertiefung und Stärkung der übernationalen Institutionen wird zugleich das Erreichen eines genauso bedeutenden Zieles der Europäischen Gemeinschaften erleichtert, nämlich die Erweiterung um diejenigen Staaten, welche diesen Wunsch offiziell geäußert haben.

Welche Länder außer diesen kann eine künftige Erweiterung noch umfassen? Die Grundkriterien sind, daß der Kandidat erstens gewillt und fähig ist, alle Prinzipien und Werte, die in den Gemeinschaften herrschen, zu respektieren - insbesondere die Anwendung des internationalen Rechts und die Achtung der Menschenrechte. Zweitens hat er sowohl die Regelungen der Verträge von Rom als auch die seitdem verabschiedeten Gesetze zu beachten und die Rechtsprechung anzunehmen und anzuwenden. Drittens muß er das Ziel der europäischen Integration uneingeschränkt unterstützen.

Nach den Worten des Vizepräsidenten der Kommission, Andriessen, haben wir die "historische Gelegenheit, eine Periode der Instabilität in eine Zeit der Integration umzuwandeln. Es hat nie einen günstigeren Moment für die Europäische Einheit gegeben; deshalb die Frage: "Wenn nicht jetzt, wann?" Diese Integration, wird selbstverständlich das Prinzip der Subsidiarität respektieren. Subsidiarität bedeutet, wie Sie wissen, daß nur diejenigen Funktionen, die durch lokale, regionale und nationale Behörden nicht effektiver ausgeübt werden können, an übernationale Institutionen transferiert werden sollten.

Die Europäischen Gemeinschaften und die EFTA-Staaten haben bewiesen, indem sie einen gemeinsamen Europäischen Wirtschaftsraum mit Freiheit des Personen-, Kapital-, Güter- und Dienstleistungsverkehrs schufen, daß es kein technisches, administratives oder sogar institutionelles Problem gibt, welches nicht gelöst werden kann, wenn die notwendigen politisch-ökonomische Voraussetzungen und der Wille, eine Verständigung zu erzielen, vorhanden sind. Der Europäische Wirtschaftsraum ist als eine vorübergehende Lösung gedacht, da manche der EFTA-Länder bereits formell oder informell ihren Wunsch, der EG beizutreten, geäußert haben. Sein Beitrag zur Entwicklung der "Neuen Europäischen Architektur" bleibt davon unberührt und sein Funktionieren in den nächsten Jahren von großer Bedeutung.

Doch vergessen wir nicht, daß einige weitere Staaten im Europarat auch bereits den Wunsch zum EG-Beitritt geäußert haben, z.B. Zypern und Malta.

Hinzu kommt der weitere Kreis der osteuropäischen Staaten, von denen drei, durch die sogenannten Europa-Verträge mit der EG bereits assoziert sind. Es sind Abkommen, die den Unterzeichnerstaaten die Perspektive auf einen eventuellen Beitritt in die EG eröffnen. Sie sehen sowohl ein dichtes Netz ökonomischer Verbindungen - quasi eine Freihandelszone - wie auch politische Konsultationen vor.

In diesem Zusammenhang scheint es mir wichtig zu sein, den Vorschlag Präsident Mitterrands zur Schaffung einer Europäischen Konföderation in Erinnerung zu rufen. Ihr Ziel besteht meiner Meinung nach darin, engere Kontakte auf verschiedenen Ebenen zwischen Ost- und Westeuropa zu schaffen. Wie vor kurzem auch der französische Außenminister betont hat, könnte durch diese Kontakte in Europa ein dynamischer Raum für Forschung, Erfindungen und Austausch geschaffen werden. Die Zusammenarbeit würde auf dem politischen Dialog beruhen und auf der Beteiligung an gemeinsamen Projekten, z.B. auf den Gebieten Transporte und Telekommunikation, Umwelt und Technologie. Diese Kontakte trügen auch zum Bewußtsein einer gemeinsamen kulturellen Identität bei. Alles, was die Europäer eint, ist wichtiger als das, was sie im begrenzten nationalen Kontext oder in den Beziehungen zwischen Mehrheiten und Minderheiten zu trennen scheint.

Als den vorrangigen Träger dieser noblen Ambition, könnte man an den Europarat denken, dessen Mitglieder alle diejenigen europäischen Staaten sind und werden, welche die Prinzipien der Demokratie und der Menschenrechte achten. Zur Vervollständigung des Bildes, müssen die übrigen wesentlichen Komponenten der "Neuen Europäischen Architektur" erwähnt werden: die NATO, die nunmehr, nach der Gipfelkonferenz in Rom, nicht nur eine neue strategische Doktrin, sondern auch eine neue Rolle, insbesondere in den Beziehungen zwischen West- und Osteuropa, erhalten hat; die KSZE und schließlich der Europarat.

Was die NATO anbetrifft, so wurde die Zusammenarbeit seiner Mitglieder mit den Ländern Osteuropas - einschließlich der Länder der GUS - am 20. Dezember 1991 institutionalisiert. Diese Zusammenarbeit soll von Anfang an ein weites Feld politischer Themen und Verteidigungsfragen umfassen und wird somit von großer Bedeutung für den rechtzeitigen Informationsaustausch, für Verständnis und Verständigung sein.

Bei der KSZE handelt es sich um einen Prozeß für mehr Vertrauen, Abrüstung und Menschenrechte. Ein Prozeß, der nach der Unterzeichnung der Charta von Paris im November 1990 und dem Treffen des Außenministerrats in Berlin im Juni 1991 immer mehr dazu tendiert, operationell zu werden.

Dabei erhebt sich die schwierige Frage, ob das Entscheidungsverfahren auf dem Prinzip des Konsensus minus eins basieren könnte. Dieser eine ist natürlich derjenige, über welchen entschieden wird. Die Reichweite der Entwicklungen im Rahmen der KSZE wird durch einen Kommentar des NATO-Generalsekretärs Manfred Wörner illustriert, der die Möglichkeit der Unterstützung der KSZE durch die NATO mit Material und sogar mit den notwendigen Streitkräften nicht ausgeschlossen hat. Dies würde, im Falle einer lokalen Krise in Europa, die KSZE befähigen, zu intervenieren, um den entstandenen Konflikt zu dämpfen oder zu beenden.

Zum Europarat ist mit seiner Generalsekretärin, Frau Lalumiere, zu sagen: "Wenn er nicht bereits existierte, sollten wir ihn erfinden, denn er entspricht den Bedürfnissen Europas nach der Beseitigung des eisernen Vorhangs und der Berliner Mauer." Der Europarat hat in dieser Hinsicht bereits große Erfolge aufzuweisen. Er bietet seinen neuen Mitglieder unter anderem Beistand für die demokratische Umstrukturierung ihrer öffentlichen Institutionen, Beteiligung an den europäischen Aktivitäten und an einem gemeinsamen politischen Forum. Namentlich erwähne ich das Projekt "Demosthenes", das diesen Namen erhalten hat, um die Athener Demokratie in Erinnerung zu rufen. Die Beteiligung der Mitgliedsstaaten am Ministerrat, an der Parlamentarischen Versammlung und an den mehr als 120 Regierungsausschüssen, erleichtert das Erreichen gemeinsamer Ziele, wie die Stärkung der pluralistischen Demokratie und der Menschenrechte, die Lösung der sozialen Probleme und das Bewußtwerden unseres gemeinsamen kulturellen europäischen Erbes.

Die Vision eines neuen Europa, einer "Neuen Europäischen Architektur", präsentiert sich als ein System von übernationalen Institutionen und zwischenstaatlichen Verträgen. Dieses System könnte grundsätzlich in der Lage sein, die Herausforderungen der Gegenwart wie auch der Zukunft durch die Verfestigung einer von der Vergangenheit radikal verschiedenen Betrachtungsweise zu bewältigen. Diese Betrachtungsweise muß sich auf die Interessengemeinschaft der Europäer beziehen, nicht auf ihre Differenzen, auf Zusammenarbeit und gegenseitige Hilfestellung und nicht auf die Erprobung der eigenen Kräfte, auf geregelten Wettbewerb und nicht auf den unbegrenzten Konkurrenzkampf.

Eine erfolgreiche Wirtschaft hat immer eine vereinende Rolle gespielt, insbesondere in pluralistischen Gesellschaften. Aber eine erfolgreiche Wirtschaft ohne Respekt vor dem Individuum, ohne Toleranz und effektive Solidarität wird nicht reichen, um ethnische Spannungen zu beschwichtigen und Stabilität wiederherzustellen. Wir müssen den problematischen Regionen mehr Zeit lassen. Die kommenden Generationen, die in einem neuen Europa aufwachsen, werden die alten Probleme nicht mit den Ressentiments der Vergangenheit, sondern mit der Leidenschaft für das vereinte Europa der Zukunft betrachten. In diesem Europa werden alle kulturellen Besonderheiten geschützt und gefördert, so daß unser Kontinent keinen uniformen Eindruck macht und nicht grau und langweilig, sondern farbig und dynamisch aussehen wird.

Lassen Sie mich mit den Worten eines bedeutenden Europäers, die ich frei wiedergebe, schließen: In einer Zeit, in der wir die wichtigen Probleme auf einer kontinentalen oder sogar globalen Ebene lösen müssen, sollten wir Europäer anerkennen, daß wir derselben Familie angehören - einer Familie von freien, toleranten und verantwortungsbewußten Bürgern, einer Familie mit funktionierenden, respektierten und ausbaufähigen Institutionen.

Pádraig Murphy
Botschafter von Irland
(4. Februar 1992)

Zu Beginn möchte ich bemerken, daß niemand vor vier Jahren in der Lage war, vorauszusehen, was in den folgenden zwei Jahren in Europa passieren würde. Diese Bemerkung mache ich, weil ich finde, daß es sich für uns alle geziemt, bescheiden zu sein, wenn wir den Anspruch erheben, die Zukunft vorherzusagen. Andererseits kommt man als außenpolitischer Beamter oder Politiker natürlich nicht daran vorbei, nach vorne zu blicken und sich versuchsweise ein Bild davon zu machen, wie die Zukunft aussehen könnte.

Zuerst: Europa ist ein Kontinent. Zu oft in der Vergangenheit haben wir das Wort gleichbedeutend mit "Europäischer Gemeinschaft" benutzt. Verständlicherweise ärgern sich viele unserer Nachbarn, Norweger, Schweden, Polen, darüber. Es war vielleicht auch verständlich, daß in einer Zeit, wo die bedeutendste Trennungslinie der Welt mitten durch den Kontinent verlief, "EG" als Kürzel für Europa diente. Aber diese Zeiten sind Gott sei Dank vorbei. Immerhin bleibt ein Problem. Genügt es, wenn man von Europa spricht, den Begriff "vom Atlantik bis zum Ural", wie General de Gaulle sagte, im Sinn zu haben? Wenn man an Strukturen für dieses Europa denkt, fällt vielen natürlich - nicht zuletzt in Deutschland - die KSZE ein. Aber die KSZE wurde auch von der UdSSR abgeschlossen, und die UdSSR bildete bekanntlich einen Staat von Brest-Litowsk bis Wladiwostok. Auf Vorschlag des deutschen Außenministers sind die in der GUS zusammengeschlossenen Nachfolgestaaten der UdSSR in die KSZE aufgenommen worden. Es scheint also, als ob sich Europa für gewisse Zwecke vom Atlantik bis Wladiwostok erstreckt.

Es handelt sich hier nicht nur um eine akademische Kleinlichkeit. Daher ist die erste Schlußfolgerung aus Irlands Vorstellungen über das künftige Europa: wir sind mit Deutschland darin einig, daß die KSZE ein wichtiger Bestandteil jeder glaubwürdigen Architektur Europas sein wird. Ich will damit sagen, daß die Sicherheit Europas mit der zukünftigen Entwicklung der Staaten der GUS zwischen Brest-Litwosk und Wladiwostok eng verknüpft ist. Daher kommt den Beratungen des KSZE-Gipfels in Helsinki besondere Bedeutung zu. Es ist kaum ein Jahr her, seit die Charta von Paris für ein neues Europa vereinbart wurde. Damals - es war die Zeit vom "Ende der Geschichte" - waren wir alle versucht zu glauben, daß wir einen entschiedenen Schlußstrich unter die Vergangenheit gezogen hätten und daß mit der Charta die Zukunft begonnen habe. Die heutige Situation stellt sich schwieriger als erwartet dar. In der KSZE wird es 16 neue Staaten geben, nachdem ein Pfeiler des internationalen und des europäischen Systems, die UdSSR, auseinandergefallen ist. Wir sollten nicht allzu zuversichtlich sein, daß nichts mehr am Gebilde Europas abbröckeln wird. Man kann auch berechtigte Bedenken haben, ob, zum Beispiel, Kirgisien oder Tadschikistan viel mit den Staaten Europas gemeinsam haben oder ob es zweckmäßig ist, daß zentralasiatische Staaten an allen Beratungen der KSZE voll teilnehmen sollten. Gleichzeitig aber sollten wir sichergehen, daß ein Rahmen vorhanden ist, in dem vorhersehbare negative Entwicklungen geregelt werden können.

Die KSZE ist in ihrem Ursprung ein Gebilde der siebziger Jahre. Sie konnte als Ausgleich zwischen den Forderungen des Westens nach Verbesserungen der Lebensbedingungen im damaligen Osteuropa und dem Wunsch der Kremlherren nach Sicherheit der Grenzen ihres Imperiums gesehen werden. Im Ergebnis hat die Schlußakte von Helsinki wie ein Virus gewirkt. Ihre Anstöße im Bereich der Menschenrechte haben letzten Endes zum Verfall des Sowjet--Imperiums geführt. Zugleich ist damit ein Stabilitätsfaktor auf dem Kontinent verloren gegangen. Die Hoffnungen, die KSZE könne nunmehr nach der Charta von Paris eine Lösung von Konflikte wie in Jugoslawien herbeiführen, waren nicht berechtigt. Wie es scheint, läßt das jetzige Instrumentarium der KSZE noch zu wünschen übrig. Die Aussichten lassen leider Gottes weitere Entwicklungen dieser Art erwarten.

Wir müssen auch auf Probleme mit Massenvernichtungswaffen infolge des Auseinanderbrechens der UdSSR gefaßt sein. Die KSZE ist der bisher einzige allumfassende europäische Rahmen und das Gremium, in dem wichtige Rüstungskontrollmaßnahmen beschlossen werden können. Aus dieser Perspektive kommt dem Helsinki-Gipfel in diesem Jahr besondere Bedeutung zu. Die KSZE muß weiterentwickelt werden, wenn sie eine zukunftsfähige Struktur für ganz Europa sein will. Wir müssen dabei auch über die asiatischen Staaten der GUS nachdenken. Es wird ein beträchtliches Maß an innovativem Denken nötig sein, um die richtigen Lösungen zu finden.

Dem Europarat kommmt ebenfalls eine Rolle für Europa als Ganzes zu. Seine Leistungen in den Bereichen der Rechtsnormen, der Menschenrechte und der Verwaltung sind ganz besonders wichtig in einer Zeit, wo viele europäische Staaten im Osten des Kontinents auf der Suche nach Modellen und Unterstützung während ihrer Umwandlung sind. Die Straßburger Organisation hat sich auch auf diese Hilfeleistung eingerichtet. Die Länder Osteuropas bekommen der Reihe nach den Status eines Beobachters beim Rat, um später, wenn sie definitiv demokratisch geworden sind, als volle Mitglieder aufgenommen zu werden. Die Bedeutung der Menschenrechtskonvention des Europarates kann als Bestandteil eines stabilen europäischen Gebildes nicht unterschätzt werden.

Die Europäische Gemeinschaft ist ein entscheidendes Element im Prozeß der Bildung eines verläßlichen Rahmens für Frieden und Sicherheit in Europa geworden. Dies wird weithin auch außerhalb der Gemeinschaft so gesehen. Die Beziehungen zwischen der EG und den anderen Staaten Europas sind folglich von großer Bedeutung. Hierbei kommen sieben Kategorien von Staaten in Betracht: die EFTA-Staaten, die Reformstaaten Mittel- und Osteuropas, frühere Mitglieder des Warschauer Paktes, die Baltischen Staaten, die anderen ehemaligen Sowjetrepubliken in der jetzigen Gemeinschaft Unabhängiger Staaten, die anderen ehemaligen sozialistischen Staaten und ihre Nachfolger (Jugoslawien und Albanien), die kleinen Inselstaaten Malta und Zypern und schließlich die Türkei, die zum Teil ein asiatischer Staat ist.

Viele von diesen Staaten haben sich das Ziel gesetzt, Mitglieder der EG zu werden. Österreich, Schweden und Finnland haben die Mitgliedschaft bereits beantragt. Es wird allgemein angenommen, daß weitere Anträge von seiten der EFTA-Staaten in diesem Jahr zu erwarten sind: man spricht zum Beispiel von Norwegen und der Schweiz. Sicher ist, daß die EFTA-Staaten, mit denen kürzlich Verhandlungen über einen Europäischen Wirtschafsraum abgeschlossen wurden, wie keine anderen Staaten geeignet sind, Mitglieder der EG zu werden. Die Hauptschwierigkeiten allfälliger Beitrittsverhandlungen wurden in den EWR-Verhandlungen erledigt. Politisch und wirtschaftlich sind diese Staaten auf dem Niveau der Gemeinschaft. Sie sind alle kleine oder mittlere Staaten, und daher bereitet ihre Aufnahme keine allzugroßen Probleme. Und politisch wie wirtschaftlich würden sie einen bedeutenden Beitrag zur Gemeinschaft leisten. Aus all diesen Gründen werden sie, wie ich meine, Priorität haben, wenn es um eine neue Erweiterung der Gemeinschaft geht. Irland begrüßt Beitrittswünsche dieser Staaten ganz speziell. Die politische Haltung dieser Staaten ist sehr nahe an der Irlands. Wenn man zum Beispiel das Profil der Stimmabgaben bei Resolutionen der UN zu Fragen der Weltpolitik ansieht, so bemerkt man eine deutliche Ähnlichkeit.

Bekanntlich bestimmt der EWG-Vertrag in seinem Artikel 237, daß jeder europäische Staat die Mitgliedschaft beantragen kann. Es ist ebenso bekannt, daß in der Vergangenheit einige solcher Anträge abgelehnt wurden. Unsere eigenen Erfahrungen haben uns hier etwas gelehrt. Wir haben 1961 zum ersten Mal die Mitgliedschaft beantragt. Aus Gründen, die nicht allzuviel mit Irland zu tun hatten, wurde unser Antrag 1963 abgelehnt. Wir mußten weitere zehn Jahre warten, bis wir Mitglieder wurden. Es stellt sich die Frage, wie man Anträge künftig behandeln sollte. Ich glaube, daß diese Frage vorläufig beantwortet ist. Es besteht Einvernehmen, daß die diesjährigen Anträge seitens der EFTA-Staaten zügig bearbeitet werden, sobald die Gemeinschaft die zur Zeit dringenden Geschäfte erledigt hat.

Kürzlich hat die Gemeinschaft Assoziierungsabkommen mit Polen, Ungarn und der Tschechoslowakei abgeschlossen. Diese Abkommen beinhalten auch Bestimmungen über die Perspektive einer Mitgliedschaft zu gegebener Zeit. Es wird generell angenommen, daß diese Zeit nicht sehr bald kommen wird. Diese Länder werden noch eine Weile damit beschäftigt sein, die sehr negativen politischen und wirtschaftlichen Folgen ihrer langjährigen Knechtschaft aufzuarbeiten. Ich glaube auch, daß sie auf dem Weg sind einzusehen, daß die Anforderungen der Mitgliedschaft nicht ohne weiteres verkraftet werden können, wenn man in Betracht zieht, daß die EG hauptsächlich eine Gemeinschaft hochentwickelter, marktwirtschaftlicher Staaten ist. Zwar ist Irland selbst nicht so hochentwickelt, aber ich glaube, daß es hier keinen Vergleich gibt. Auf längere Sicht muß jedoch eine Mitgliedschaft in der EG in Aussicht genommen werden. Mit Rumänien und Bulgarien wurden noch keine Assoziierungsabkommen abgeschlosen, was aber wahrscheinlich im Laufe dieses Jahres geschehen wird. Es könnte sein, daß zu gegebener Zeit auch die Baltischen Staaten und die Nachfolgestaaten Jugoslawiens hinzukommen, wie auch, obgleich wahrscheinlich mit einem längeren Rückstand, Albanien. Die Fälle dieser letztgenannten Staaten müssen noch grundsätzlich auf Gemeinschaftsebene diskutiert werden.

Die Nachfolgestaaten der ehemaligen UdSSR stellen ein ganz besonderes Problem dar. Die russische Republik ist in mancher Hinsicht der Nachfolger der früheren Supermacht. Sie hat den Sicherheitsratsitz eingenommen und verfügt über das strategische Nuklearpotential des ehemaligen Riesenreichs. Man kann sich so einen Staat schwer als Mitglied der Europäischen Gemeinschaft vorstellen. Das trifft auch auf die Ukraine zu. Andererseits sind viele der

GUS-Staaten gar keine europäischen Staaten, sondern asiatisch und kommen daher nicht in den Bereich der Bestimmungen von Artikel 237. All diese Staaten haben ihre besonderen Beziehungen untereinander entwickelt. Die Überlegung liegt daher auf der Hand, daß sie ihrer eigenen gemeinschaftsartigen Entwicklung folgen sollten und daß die Aufgabe der EG darin bestehen könnte, ihnen dabei behilflich zu sein. Dies wäre eine Ideallösung. Diese Gruppe von Staaten ist aber immer noch in einem Zustand des Durcheinanders, so daß eine endgültige Organisation zur Zeit nicht überschaubar ist. Sie werden auf jeden Fall, wie erwähnt, durch die KSZE in ein europäisches System eingebunden.

Für Malta und Zypern als europäische Staaten kommt die Mitgliedschaft, die sie schon beantragt haben, im Laufe der Zeit in Frage. Im Falle Zyperns wäre eine Aufhebung der Teilung der Insel hilfreich. Dank der Bemühungen des UN-Generalsekretärs könnten Aussichten darauf bald vorhanden sein. Die Türkei stellt ein besonderes Problem dar. Ihre Beziehungen zu Europa sind aufgrund ihrer Geschichte und ihrer Kultur einzigartig. Dazu kommt ihr niedriges Entwicklungsniveau. Auf jeden Fall nehme ich an, daß der türkische Antrag neu überprüft werden muß in Anbetracht der Schlußfolgerungen des Europäischen Rates in Maastricht, in denen die Kommission gebeten wurde, alle Anträge zu prüfen, auch hinsichtlich ihrer Auswirkungen auf die Zukunft der Union. Inzwischen gilt der Ratsbeschluß vom September 1991, wonach die normale Wirkung des Assoziierungsabkommens von 1964 nach einer langjährigen Pause wieder aufgenommen wird. Allerdings hat die griechische Regierung bei diesem Anlaß erklärt, sie mißbillige die Entwicklung von Beziehungen zwischen der EG und der Türkei solange die Zypern-Frage nicht gelöst ist.

Für alle weiteren Überlegungen zur Entwicklung Europas waren die Entscheidungen des Maastrichter Gipfels Anfang Dezember 1991 von höchster Bedeutung. Was hält Irland von diesen Entscheidungen? Wir betrachten sie als historisch. In Maastricht wurde eine neue Europäische Union in Gang gesetzt, als eine politische Union der Zwölf, mit einer gemeinsamen Außen- und Sicherheitspolitik, vereinigten Wirtschafts- und Währungssystemen, einem einzigen Markt, einer Charta von Sozialrechten und mit Gemeinschaftskompetenzen in einer sehr viel größeren Zahl von wichtigen Bereichen. Unserer Meinung nach wird diese Union ein neues Wohlstandsniveau der dazugehörigen Völkern fördern und ihre Lebensqualität verbessern. In Anbetracht der Tatsache, daß die EG, wie bereits erwähnt, ein wichtiger Faktor der Stabilität für Europa als Ganzes ist, können wir es nur begrüßen, daß in Maastricht

Einvernehmen erzielt wurde über einen neuen Rechtsrahmen für die Weiterentwicklung ins nächste Jahrhundert hinein zu einem politischen Wesen mit 340 Millionen Einwohnern, das sich als der größte Handelsblock der Welt darstellt. Die irische Regierung bekennt sich zum Konzept der Europäischen Union, sowohl in ihren wirtschaftlichen und monetären Aspekten als auch in ihren politischen Zielen.

Welche Hauptanliegen hat Irland an die Entwicklung zur Europäischen Union. In erster Linie ist die Kohäsion zu nennen, dieses häßliche Fremdwort, das soviel bedeutet wie solidarischer Zusammenhalt. Das Wort kann möglicherweise auch für einige Mitgliedstaaten, darunter Deutschland, häßlich sein, sofern es größere Geldausgaben bedeutet. Wie wir die Dinge sehen, wäre eine Wirtschafts- und Währungsunion, die keine festen Bestimmungen über die Teilung der Gewinne der Union mit den weniger begüterten Regionen enthielte, keine Union, die diesen Namen verdiente. Ich möchte ein Wort Helmut Kohls anführen. Er sprach im August 1990, zu einem sehr emotionsgeladenen Zeitpunkt, über die wirtschaftlichen Probleme der deutschen Vereinigung und sagte, daß es nicht reiche, Solidarität zu beschwören, sie müsse praktisch erbracht werden. Eine politische Union der Zwölf ist zwar nicht ein wiedervereintes Vaterland, aber es gilt das gleiche Prinzip. Die Gewinne der Union dürfen nicht nur in die ohnehin schon reichbegüterten Gebiete fließen. Dies wäre für das wirtschaftliche und soziale Wohlergehen der weniger begüterten Regionen höchst nachteilig, insbesondere für solche wie Irland mit einer Randlage weit entfernt von den europäischen Wirtschaftszentren.

Was die Wirtschafts- und Währungsunion angeht, so sind wir zuversichtlich, daß Irland fähig sein wird, 1997 oder 1999 mit der ersten Ländergruppe in die dritte Stufe einzutreten. Irland hat zur Zeit schwerwiegende wirtschaftliche Probleme, vor allem eine sehr hohe Arbeitslosenquote. Aber unsere Inflationsrate gehört zu den niedrigsten der Gemeinschaft, niedriger als die deutsche Rate. Die Neuverschuldung im laufenden Jahr wird 2,5 Prozent oder weniger betragen. Zwar beträgt die Staatsverschuldung im Moment an die 106 Prozent des Bruttoinlandsproduktes, aber die Tendenz geht in die richtige Richtung. Wir gehen davon aus, daß das anwendbare Kriterium für die Fähigkeit eines Landes, in die Stufe III überzugehen, eine Staatsverschuldungsquote von 60 Prozent oder weniger des Bruttoinlandsproduktes ist, *oder* der Beweis, daß die Quote sich stetig in diese Richtung bewegt.

Hinsichtlich der Sozialpolitik sind wir der Meinung, daß die Union nicht nur damit beschäftigt sein soll, Reichtum zu schaffen. Wir legen besondere Betonung auf die Beschäftigung, und unser Vorschlag, daß ihre Förderung unter den ersten Zielen der Sozialpolitik sein sollte, wurde in Maastricht akzeptiert. In Anbetracht der Tatsache, daß die Arbeitslosenquote in Irland zur Zeit über 20 Prozent beträgt und daß hochqualifizierte junge Leute einen wichtigen Teil dieser Arbeitslosen bilden, wird man leicht verstehen, warum wir hier einen Akzent setzen.

Wir haben Verständnis für die Gründe, die das Vereinigte Königreich daran gehindert haben, sich den elf anderen Mitgliedstaaten auf diesem Gebiet anzuschließen. Wir teilen auch bis zu einem gewissen Punkt das britische Zögern. Doch *erstens* hat die Gemeinschaft nunmehr eine umfassende Bestimmung des Subsidiaritätsprinzips vorgenommen. Dieses Prinzip muß insbesondere bei der Formulierung der sozialen Gesetzgebung in Betracht gezogen werden. *Zweitens* gibt es eine Bestimmung, daß die sozialpolitischen Direktiven kleinen und mittleren Betrieben keine übertriebenen Lasten aufzwingen dürfen, die ihre Schaffung und Entwicklung verhindern könnten. *Drittens* müssen die Direktiven die Umstände in jedem der Mitgliedstaaten berücksichtigen. Hier denken wir an einen besonderen Umstand: Das Vereinigte Königreich, unser größter Handelspartner, ist nicht an der neuen Sozialpolitik beteiligt, und das könnte Auswirkungen auf den Wettbewerb haben. Wir erwarten, daß dies von der Kommission in Betracht gezogen wird. *Viertens* hat die Kommission sich verpflichtet, die Arbeitgeber zu Rate zu ziehen, bevor sie sozialpolitische Vorschläge einbringt, und daß sie die Meinung beider Seiten der Industrie über den Vorschlag einholt, sollte sie sich entscheiden, zu einer Gemeinschaftsaktion überzugehen.

Die gemeinsame Außen- und Sicherheitspolitik ist vielleicht die heikelste Frage, mit der alle Mitgliedstaaten der Gemeinschaft konfrontiert sind. Hier in Deutschland lese ich jede Woche eine andere Meinung, wie die EG oder die NATO mit den neuen strategischen Umständen unseres Kontinents fertig werden sollten. In anderen Ländern ist es das gleiche. Praktisch jeden Tag verändert sich die eine oder andere Grundvoraussetzung für unsere Planung der Außen- und Sicherheitspolitik. Es ist sicherlich die Aufgabe der Staatsmänner, bei unklaren Verhältnissen einen klaren Weltblick zu bewahren. Das haben unsere Staats- und Regierungschefs in Maastricht versucht. Was Irland betrifft, so wollten wir, daß die Verhandlungen über diesen Tagesordnungspunkt erfolgreich sein sollten. Wie wir meinen, braucht die Gemeinschaft angesichts der Änderungen in Europa und in der Welt neue und verstärkte Mechanismen, um mit dieser neuen Situation umgehen zu können. Zudem erwarten unsere internationalen Partner von einer Gemeinschaft, die wirtschaftlich und politisch eine höhere Stufe der Vereinigung erreicht hat, eine berechenbarere und koordiniertere Handlungsweise.

Gleichzeitig aber fanden wir das Motto "festina lente" angebracht. Wir sind uns sehr bewußt, daß die Außen- und Sicherheitspolitik einer der empfindlichsten Bereiche der zwischenstaatlichen Politik überhaupt ist und daß, wenn wir gemeinsam vorgehen wollen, wir dies sehr behutsam tun sollten. Als es um die Abstimmungsregelung ging, vertraten wir daher die Meinung, daß es verfrüht wäre, direkt das Mehrheitsverfahren anzuwenden. Unsere Vorzugslösung, die auch allgemein akzeptiert wurde, war ein Vorgehen, bei dem der Rat einstimmig beschließen wird, in welchen Bereiche mit Stimmenmehrheit entschieden werden kann.

Bei der Sicherheitspolitik legen wir Wert auf hautpsächlich drei Gesichtspunkte. *Erstens* soll über die Gestaltung einer gemeinsamen Verteidigungspolitik, die mit der Zeit zu einer gemeinsamen Verteidigung werden könnte, auf einer weiteren Regierungskonferenz 1996 verhandelt werden. Wir wollen daran teilnehmen, wobei Umfang und Art einer gemeinsamen Verteidigungspolitik einstimmig geregelt werden müßten. *Zweitens* sieht der Vertragsentwurf vor, daß die Politik der Union den spezifischen Charakter der Sicherheits- und Verteidigungspolitik Irlands nicht beeinträchtigen wird. Diese Bestimmung bezieht sich auf die Schlußfolgerungen des Gipfels von Rom im Dezember 1990, die unsere traditionelle Position anerkannten. *Drittens* stellt der Vertragsentwurf klar heraus, daß alle Entscheidungen und alles Handeln der Union mit Verteidigungsauswirkungen Sache der WEU sein werden. Und alle Ersuchen der Union an die WEU müssen einstimmig durch die Zwölf angenommen werden. Wir betonen, daß wir keine gegenseitigen Verteidigungsverpflichtungen eingegangen sind.

Insgesamt meinen wir, daß die Maastrichter Bestimmungen über eine gemeinsame Außen- und Sicherheitspolitik der Gemeinschaft es ermöglichen, eine vollständigere und schlüssigere Rolle im internationalen Leben, entsprechend ihrem Status und ihren Verantwortlichkeiten, zu spielen. Für gewisse Bereiche existiert schon eine Basis in der Europäischen Politischen Zusammenarbeit. Diese Bereiche können erweitert und verstärkt werden und neue einstimmig hinzugefügt werden. Auf der Grundlage der Werte, die traditionell unsere Einstellung zu internationalen Fragen geformt haben, werden wir uns bei der Gestaltung der Politik der Europäischen Union voll engagieren.

Die Frage der Befugnisse des Europäischen Parlaments spielt eine bedeutende Rolle in deutschen Überlegungen zur Zukunft der Gemeinschaft. In Irland sieht es ein wenig anders aus. Wir sind der festen Überzeugung, daß die demokratische Legitimität durch unser Parlament und unsere Kommunalverwaltung garantiert ist. Gleichzeitig aber erkennen wir die Sorge über gewisse Mängel auf europäischer Ebene an. Die Rolle des Parlaments und seine Befugnisse im gesetzgebenden Prozess der Gemeinschaft sind in den Abmachungen von Maastricht bedeutend gestärkt worden. Auch sind Petitions- und Anfragerechte formalisiert worden, und die Ernennung eines Ombudsmanns wurde dem Parlament anvertraut. Am wichtigsten ist jedoch das Recht des Parlaments, die Position des Rates in einer Reihe wichtiger Bereiche der Gemeinschaftspolitik abzulehnen. Darunter fallen die Bildung, die Kultur, der Verbraucherschutz, Forschung und Technologie, transeuropäische Netze, die Umwelt und der Binnenmarkt.

Was die Rolle Deutschlands anbelangt, so geziemt es sich für einen Ausländer, umso mehr wenn es sich um den Vertreter eines kleinen Landes handelt, eher bescheiden zu sein. Wir haben den Deutschen keine Lektionen zu erteilen. Ich kann aber sagen, daß wir ihren Standpunkt, wonach die deutsche Einigung und die europäische Einigung zwei Seiten derselben Medaille sind, zu schätzen wissen. Zum Zeitpunkt der Wiedervereinigung Deutschlands haben Bundeskanzler und Bundesaußenminister an diese Tatsache erinnert. Und schon die Präambel des Grundgesetzes hat die Bedeutung eines vereinten Europa für Deutschland betont. Die Geographie stellt einen wichtigen Faktor der Geschichte dar. Deutschland ist ja bekanntlich das Land in der Mitte Europas. Dies ist 1992 nach 45 Jahren wieder der Fall. Diese Tatsache bringt eine Reihe von Herausforderungen für Deutschland mit sich, ebenso wie eine Reihe von offensichtlichen Befürchtungen seiner Nachbarn. Die Herausforderungen hängen mit einer Steigerung des *relativen* wirtschaftlichen und politischen Gewichts des Landes zusammen. Es muß ja in Betracht gezogen werden, daß das System des Ostblocks und mit ihm die Sowjetunion selbst verschwunden sind. Aus historischer Sicht werden die Beziehungen zwischen Deutschland und den Ländern Mittel- und Osteuropas von beiden Seiten als sehr wichtig betrachtet. Der Begriff "Mitteleuropa" ist ja ein deutsch-österreichischer Begriff. Es mag von Interesse sein, daß auf deutsche Initiative hin die Formulierung "Länder Mittel- und Osteuropas" zum ersten Mal vor etwa vier Jahren von der EG benutzt wurde. Vorher war die Bezeichnung "Osteuropa" gebräuchlich.

Das zeigt, daß ein vertrautes Verhältnis zwischen Deutschland und diesen Ländern besteht. Die Herausforderungen sind entsprechend umfassend: sie betreffen wirtschaftliche, politische, soziale, sicherheitspolitische und rein menschliche Aspekte. Ich habe gemerkt, daß man sich in Deutschland sowohl der Vorteile als auch der möglichen Nachteile bewußt ist. Die Vorteile scheinen auf der Hand zu liegen: Deutschland hat eine ideale Lage, um seine wirtschaftlichen Interessen in diesen Ländern zu fördern. Folglich ist auch Deutschland praktisch der Haupthandelspartner all dieser Länder, seitdem das Handelssystem des ehemaligen Ostblocks zusammengebrochen ist. Es ist bemerkt worden, daß die Deutschen immer die größten Stände auf Handelsmessen haben, auf denen es um Kontakte zu Osteuropa geht.

Ungefähr ein Drittel des Handels zwischen West- und Osteuropa wird von Deutschland abgewickelt, und Investitionen aus Deutschland machen zwischen 20 und 25 Prozent aller westeuropäischer Investitionen im Osten aus. Diese Quote erreicht sogar 50 Prozent in der Tschechoslowakei. Die Quoten in der ehemaligen UdSSR betragen 10 bis 15 Prozent für den Handel, 11 Prozent für Investitionen. Es besteht kein Zweifel, daß Deutschland, heute wie historisch, der Hauptinteressent ist beim Tausch von Technologie gegen Naturschätze und Arbeitskräfte. Jemand hat gesagt, daß der Osten Deutschlands natürlicher Markt sei. Deutschland übt auch einen besonderen politischen Einfluß auf diese Länder aus und kann daher ihre Entwicklung bis zu einem gewissen Grad beeinflussen. Die Befürchtungen sind ebenso offensichtlich: man spricht hierzulande oft von möglichen Flüchtlingsströmen, von der Verseuchung der Umwelt, von der Unmöglichkeit, allein der Nöte und Bedürfnisse dieser Länder Herr zu werden.

Nun bieten diese Länder wirtschaftlich ohne Zweifel eine Chance. Aber sie sind gegenüber den Wachstumsmärkten des übrigen Europa, Nordamerikas und Asiens Zwerge. Dies umsomehr, als ihre Volkswirtschaften noch für einige Zeit in einer tiefen Krise stecken werden. Roland Berger hat berechnet, daß die Länder Mittel- und Osteuropas 2,3 Prozent der Weltbevölkerung darstellen, während ihr Anteil an der Weltwirtschaft mit 2,6 Prozent nicht viel größer ist. Die ehemalige Sowjetunion hatte nach dieser Berechnung einen Weltmarktanteil von um die 5 Prozent; er wird noch eine Zeitlang eher abnehmen. Auf der anderen Seite repräsentieren die USA, Kanada und Mexiko mit ihrem Vorhaben eine Freihandelszone zu gründen etwa ein Drittel der Weltwirtschaft. Für die Europäische Gemeinschaft ist die entsprechende Zahl 29 Prozent, für Japan 19 Prozent. Damit entfallen 80 Prozent des Weltbruttosozialproduktes auf die genannten westlichen Staaten und Märkte, obwohl sie nur etwa ein Siebtel der Weltbevölkerung stellen.

Vielleicht irre ich mich, aber ich bezweifle die Wahrscheinlichkeit einer neuen Völkerwanderung. Im großen und ganzen, glaube ich, wird die

Bevölkerung Mittel- und Osteuropas und der Gemeinschaft Unabhängiger Staaten lieber in ihren Heimatländern bleiben, koste es, was es wolle.

Ich sprach auch von Befürchtungen der Nachbarn Deutschlands. Man muß nicht weit suchen, um Berichte über angebliche Kolonisierungsambitionen der Deutschen etwa in der Tschechoslowakei zu lesen. Es gibt auch Mutmaßungen in Paris und London oder anderswo im Westen, das neue Deutschland könne sich von seinem festen Ankerplatz im westlichen Gemeinschafts- und Bündnissystem lösen und sich alten östlichen Versuchungen oder gar dem Streben nach Vorherrschaft über den ganzen Kontinent hingeben. Ich bin sicher, daß sich die politisch Verantwortlichen in Deutschland dieser Befürchtungen, so ungerechtfertigt sie auch sein mögen, bewußt sind.

Der Bundeskanzler hat sie mehr als einmal direkt angesprochen und ein gewisses Verständnis für sie gezeigt, wenn auch natürlich kein Einverständnis. Er hat auch die richtige Antwort gegeben. Die politische Einigung Europas liege im Interesse aller Europäer. Ich zitiere: "Indem wir über uns mit anderen gemeinsam ein starkes europäisches Dach bauen, werden wir, glaube ich, auch einen Teil der berechtigten Befürchtungen aus der Geschichte und der ganz unberechtigten Neidkomplexe nicht wegbringen aber relativieren können. Das ist das Ziel, und das ist auch mein Ziel."

Unserer Meinung nach ist dies der richtige Gesichtspunkt. Es liegt im Interesse aller Europäer, daß die Integration der Europäischen Gemeinschaft vorankommt. Die Gemeinschaft stellt ein Gebilde dar, das Befürchtungen mancher Art, nicht nur solche Deutschland betreffend, zerstreuen kann. Wir begrüßen es sehr, daß sich die Bundesregierung immer wieder zu Europa bekennt. Das deutsche Engagement für Europa ist von höchster Bedeutung in einer Zeit des Umbruchs wie der jetzigen.

Über die irisch-deutschen Beziehungen habe ich nicht viel zu sagen, dem englischen Sprichwort folgend: "No news is good news". Die deutsch-irischen Beziehungen sind ausgezeichnet, wie es sich für zwei Partnerstaaten in der Gemeinschaft gehört. Wir sind beide gleichberechtigte Mitglieder in dieser Gemeinschaft. Wir sind nicht immer der gleichen Meinung, wie die Gemeinschaft sich weiterentwickeln sollte oder welche Haltung einzunehmen sei in außenpolitischen Stellungnahmen der Zwölf. Aber die Gemeinschaft stellt einen Mechanismus zur Verfügung, der solche Unterschiede ausgleichen kann. Solche Mechanismen könnten exemplarisch wirken für Europa als Ganzes.

Tiit Matsulevits
Botschafter der Republik Estland
(11. Februar 1992)

Da ich selbst aus einer Universität komme, der Universität Tartu (Dorpat), die ungefähr 150 Jahre lang eine nicht weniger bedeutende Rolle in Europa gespielt hat als die Universität Bonn, ist es für mich eine besondere Freude, wieder an einer Universität aufzutreten. Die Solidarität der Universitätenwelt war immer wegweisend für die Solidarität zwischen den demokratischen Staaten, und die Idee der *universitas* bildete eine Wirbelsäule für die Entstehung und Entfaltung der Idee von Paneuropa.

Die Universität ist wie eine kleine Republik. Ihren Vertikalstrukturen nach ist sie eher ein Mechanismus: klare Hierarchie, Subordination und ein erheblicher Teil Konservatismus gehören unvermeidlich dazu. Ihre horizontalen Strukturen gleichen eher einem Organismus, einer gebündelten Widerspiegelung der freien Gesellschaft. Ohne die Eigeninitiative jedes Einzelnen wäre sie entwicklungsunfähig, ohne Vereinigung dieser Individuen zu Forschungsgruppen, Projektteams, Verbindungen und Korporationen wäre sie nicht imstande, eine längere Zeit auf dem schweren Wege der Erkenntnis weiterzugehen. "Wahrheit beginnt zu zweit", hat Friedrich Nietzsche gesagt. Auf eine organische Art und Weise, d.h. in Form einer Republik, kann aber eine Universität nur existieren, wenn ihre Umwelt dafür günstige Voraussetzungen bietet. In diesem Zusammenhang ist für meine Universität die Wiedergeburt der Republik Estland, der estnischen Eigenstaatlichkeit, von größter Bedeutung.

Estland, ein längst in Europa eingeschriebenes Land, ist für viele eine Terra incognita. Als ich mich 1990 zur Fortbildung in Hamburg aufhielt, saß ich einmal mit Leuten zusammen, und wir sprachen erst über Estland und anschließend über einen Film, der in einem nahegelegenen Kino lief, da fragte mich eine ältere Dame: "Junger Mann, wissen Sie überhaupt, was ein Kino ist?" Die Sekretärin einer Hamburger Organisation fragte mich, als Sie mich am Telefon estnisch sprechen hörte: "Was ist das für eine Sprache, Estnisch? Das ist wahrscheinlich eine Mundart der großen sowjetischen Sprache." Gestern sah ich im ZDF einen kurzen Bericht über Estland, in dem alles stimmte. Aber die Einstellung des Moderators war äußerst unfreundlich. Denn er sprach von "Estlands groteskem Hang zur Eigenstaatlichkeit". Darin zeigte sich sicher nicht nur eine Uninformiertheit, die westliche Journalisten manchmal an den Tag legen. Man spürte noch die Einstellung, die während der Gorbatschow-Zeit entstanden ist, nämlich daß die Balten mit ihrem Unabhängigkeitsstreben angeblich die Perestroika störten. Gorbatschows Rolle war sehr wichtig, denn er hat das grüne Licht gegeben, aber fahren konnten nur die, die noch etwas Treibstoff hatten. Zu denen gehörten die baltischen Staaten, darunter auch Estland - obwohl momentan eine Treibstoffkrise herrscht.

Wenn wir über Estland, die Bedeutung seiner heutigen Entwicklung und Probleme mehr erfahren und verstehen wollen, ist ein geschichtlicher Exkurs notwendig. Estland fühlt sich eigentlich nicht Osteuropa, sondern eher der Kultur und Denkweise Mitteleuropas zugehörig. Das estnische Volk, das vom Altai-Gebirge kommt, ist schon mehr als 5000 Jahre am Ufer der Ostsee ansässig. Die Esten zählen zu den ältesten Völkern in Europa. Im 13. Jahrhundert wurde Estland christianisiert, und vier Jahre nach Beginn der Reformation, 1521, als erstes Territorium außerhalb Deutschlands fast vollständig lutherisiert. Das hat die typisch estnische Denkweise geprägt, den Individualismus, zu dem auch eine Portion Egoismus gehört. Andererseits ist der Individualismus eine gute Voraussetzung für die Entwicklung der Eigeninitiative und des Kapitalismus. Aber wir sehen natürlich auch, welche innenpolitischen Probleme Estland hat, wie z.B. kürzlich den Regierungswechsel infolge des mangelnden Konsensus zwischen den politischen Kräften. Oder nehmen wir die Zersplitterung der Parteienlandschaft: von rechts bis links ist alles vorhanden - mehr als 20 Parteien, die registriert sind und zur Wahl stehen werden. Aber hier steckt die wiederbelebte Demokratie noch in den Kinderschuhen.

Was die kulturellen Einflüssen aus Europa angeht, haben die Deutschbalten, die Estland etwa 700 Jahre besiedelten, immer als Oberschicht, sich dem estnischen Volk gegenüber nicht immer korrekt verhalten, aber sie fungierten als eine sehr wichtige kulturelle Brücke zwischen Westeuropa und Estland. Über sie kam die Aufklärung nach Estland, die europäische demokratische Denkweise. Durch das Fenster des Gutsbesitzers sah der estnische Bauer zum ersten Mal die westeuropäische Malerei und hörte vom Klavier die westliche europäische Musik. Über die Gesellschaftsstrukturen, die sich in der zweiten Hälfte des vorigen Jahrhunderts unter den Deutschbalten herausbildeten, entstand auch die politische Öffentlichkeit im Baltikum. Die zahlreichen Verbände, Vereinigungen, allerlei Gesellschaften, Studentenkorporationen dienten als Vorbilder. Jede der genannten Vereinigungen war für sich schon eine Art kleines Parlament, in dem man diskutierte. Dadurch haben die Esten schon seit Mitte des vorigen Jahrhunderts die parlamentarische Kultur gelernt. Aufgrund dieser Horizontalstrukturen in der Gesellschaft war das estnische Volk im Jahre 1918, als die Republik Estland entstand, reif für die kostspielige und unbequeme Gesellschafts- und Staatsform der parlamentarischen Demokratie.

Vergleicht man die estnische Republik zwischen den zwei Weltkriegen mit anderen baltischen Staaten, stellt man fest, daß sie am demokratischsten war. Als Estland 1940 von der Sowjetunion okkupiert und einverleibt wurde, haben die Behörden vorrangig die Horizontalstrukturen der Gesellschaft vernichtet. Die demokratische Wiedergeburt nach 50 Jahren begann damit, diese flexiblen Gesellschaftsstrukturen wiederaufzubauen. Zwischen 1988 und 1991 entstanden verschiedene Verbände und an den Universitäten bilden sich neue Studentenkorporationen. Obwohl Sie bei Ihnen vielleicht als altmodisch betrachtet werden, war dies bei uns ein Zeichen für die Wiederbelebung der Demokratie in der Gesellschaft. Unser Weg zur Freiheit und Eigenstaatlichkeit verlief unblutig und gewaltfrei, im Unterschied zu allen anderen ehemaligen "Teilrepubliken". Dies war vielleicht Zufall oder aber es ist typisch für den ruhigen, konservativen und bescheidenen Charakter der Esten.

Wir sind jetzt in der Situation, die Winston Churchill vor 50 Jahren etwa so beschrieb: 'Sie haben die Freiheit gewählt, aber vergessen Sie nicht, daß diese Wahl sehr viel Schweiß, Blut und Tränen mit sich bringt.' Ich erinnere an diese Worte einerseits, weil man eine demokratischen Gesellschaftsordnung einem Volk nicht aufzwingen kann; das Bedürfnis danach muß sich entwikkeln. Andererseits dauerte für das estnische Volk und für die anderen baltischen Völker der Zweite Weltkrieg achtmal solange wie für Westeuropa. Unsere staatlichen Strukturen wurden über 50 Jahre lang brutal vernichtet, so daß wir jetzt am Anfang stehen.

Im folgenden möchte ich die heutige Situation und die brennenden Probleme der Republik Estland charakterisieren.

1. Es gibt ein Übermaß an Migranten, das zu einer Überbelastung der Sozialstruktur führt und im Laufe der letzten Monate zum größten Problem der Innen- und Außenpolitik geworden ist. In Estland macht die russischsprachige "Minderheit" circa 35 Prozent der Bevölkerung aus. Ihre Gleichheit vor den Gesetzen der Republik Estland steht ebensowenig in Frage, wie ihre Freiheit,

sich kulturell selbst zu verwirklichen. Schwierigkeiten sind hingegen mit der Frage ihrer Staatsangehörigkeit verbunden. Wir Esten hören in der letzten Zeit Vorwürfe wegen eines vermeintlich nationalistischen Charakters des Wiederaufbaus unserer Staatlichkeit. Wenn wir schon über Nationalismus sprechen, müssen wir eindeutig einen defensiven Nationalismus von einem offensiven Nationalismus unterscheiden. Für die Esten ist der Nationalismus nie ein Mittel zur Unterdrückung anderer Völker gewesen, sondern nur ein Mittel zur Selbstbestätigung, zur Selbstidentifikation. Anders ausgedrückt: Unser Nationalismus ist kein Schwert, sondern ein Spiegel.

Die Republik Estland hat schon einmal bewiesen, daß sie mit ihren Minoritäten gutwillig umgeht. Das berühmte Gesetz über die Kulturautonomie aus dem Jahr 1925, wodurch das Problem der nationalen Minderheiten zum ersten Mal in Europa wirklich demokratisch gelöst wurde, galt als Vorbild in der ganzen Welt. Europa kann beruhigt sein. Auch heute hat Estland keine Absicht, seine Minoritäten zu diskriminieren. Die baltischen Staatsangehörigkeiten wurden von der sowjetischen Okkupationsmacht im Jahre 1940 widerrechtlich außer Kraft gesetzt. Jetzt sind sie wieder aufgelebt, und es ist logisch, daß sie denen, die sie 1940 besaßen, und deren Nachkommen ohne weiteres zukommen. Das gilt auch für die russische Minderheit, die es schon vor 1940 gab. Die Mehrheit der heutigen "Minorität" besteht aber aus den Migranten der vergangenen 45 Jahre. Neben Arbeitern der Großbetriebe, die überwiegend den Interessen des sowjetischen Militärs dienten, ließen sich vor allem pensionierte Offiziere und Funktionäre der höheren Lebensqualität wegen in Estland nieder. Die Landessprache zu lernen, lehnten sie ab, nicht selten verhielten sie sich wie die Herren im Lande. Die Russen in Estland sind somit keinesfalls mit einer historisch gewachsenen Minderheit zu vergleichen, wie z.B. den Südtirolern oder den Sorben. Sie sind Ergebnis einer Politik, die unverkennbar die fortschreitende Russifizierung verfolgte. Soll ihnen nun en bloc die Staatsangehörigkeit und das Wahlrecht verliehen werden?

Es wird immer die heikle Frage des Schutzes der Rechte der Minoritäten diskutiert. Ich möchte Sie darauf aufmerksam machen, daß damit unausweichlich ein anderer Aspekt verbunden ist, der in einem modernen Rechtsstaat nicht weniger heikel ist: Die Rechte der Majorität. Warum will man dieses Problem meistens totschweigen? Wer schützt eigentlich die Rechte der Mehrheit? Im Fall der baltischen Staaten geht es nun um die Majoritäten, die jahrzehntelang einer langsam wirkenden, von der Sowjetmacht bewußt und zielstrebig durchgeführten Genozidpolitik ausgesetzt waren. Wer hat das halbe Jahrhundert lang ihre Rechte befürwortet? Bei den Menschenrechten gibt es zwischen den

Rechten eines einzelnen und den Rechten der Völker keine prinzipiellen Unterschiede. Es wäre auch sinnlos, über eine angeblich russische oder ukrainische Demokratie zu sprechen. Es gibt nur eine einzige, im politischen Werdegang der Menschheit bewährte Demokratie.

2. Wir haben die alte Last der sozialistischen Planwirtschaft zu tragen. Das Alte ist nicht mehr fähig zu leben, das Neue noch nicht geboren. Das Wirtschaftsleben ist übermäßig konzentriert, denn das Ziel der Moskauer Kolonialpolitik war die Ausplünderung des Landes. Einige Wirtschaftsdaten zeigen das: Ende der achtziger Jahre gab es nur 270 estnische Industrieunternehmen, davon nur 30 mit weniger als 100 Mitarbeitern; nur drei Prozent der estnischen Wirtschaftsproduktion wird ins Ausland - im alten Sinne - exportiert, der Rest geht in die ehemalige Sowjetunion; so groß ist unsere Abhängigkeit; Estlands Handelsbilanzdefizit betrug 1990 1,253 Milliarden US-Dollar - zur Einführung einer eigenen Währung, der estnischen Krone, ist westliche Hilfe unbedingt nötig.

3. Die Umweltverschmutzung durch veraltete Technologie und Kommandowirtschaft ist sehr groß und hat im Nordosten Estlands zu einer ökologischen Katastrophe geführt.

4. Die Möglichkeiten zum weltweiten Informationsaustausch sind sehr begrenzt, und das Kommunikationsnetz innerhalb des Landes ist gering entwikkelt. Die Folge ist ein Mangel an Know-how.

5. Durch die übermäßige Konzentration der sowjetischen Streitkräfte war Estland bis vor kurzem das am meisten militarisierte Territorium auf der ganzen Welt. Von den ehemals über 100.000 Soldaten sind noch etwa 35.000 geblieben, aber diese sind für Estland eine sehr schwere politische, ökonomische, ökologische und psychologische Last.

6. Ein großes Problem ist die Instabilität der Familien. Jede zweite Ehe wird geschieden. Auf 100 Geburten kommen circa 140 Abtreibungen.

7. Die verbrecherischen Aktivitäten der russischen Mafia haben drastisch zugenommen: Estland ist zum Korridor für den Rauschgifthandel geworden. Aus den südlichen Teilrepubliken geht über Estland nach Finnland eine Unmenge von Drogen, die in Skandinavien zu Spottpreisen verkauft werden. Dies zwingt Estland zur Abriegelung der Ostgrenze und zum Aufbau einer wirksamen Grenzpolizei.

Wie sind unsere Perspektiven? Zuerst müssen wir den harten Winter überstehen, denn Rußland hat seit dem 8. Januar vertragswidrig die Weizen- und Öllieferungen eingestellt. Dank westlicher Hilfe konnte diese Situation etwas entspannt werden. Obwohl wir es bei unserer Bitte um Hilfe eigentlich mit einem chinesischen Sprichwort halten, das lautet: "Gib mir keinen Fisch, gib mir eine Angel", brauchen wir in diesem Winter zwar keinen Fisch, aber Brennstoff, Futtergetreide für das Vieh und Medikamente.

Weiterhin muß dringend die Telekommunikation und das Verkehrsnetz aufgebaut werden, um mit dem Ausland endlich normal kommunizieren zu können. Kein westlicher Unternehmer wird in Estland investieren, solange das Kommunikationsnetz so schlecht funktioniert. Auch sichere gesetzliche Grundlagen gehören zur Voraussetzung für westliche Investoren. Für den Westen ist es zudem ein großes Problem, daß die Esten oft nicht präzise formulieren können, wie die nötige Hilfe genau aussehen soll. Darüber hinaus sind weitere Aufgaben zu bewältigen, wie der Aufbau des Bankensystems, die Einführung der eigenen Währung, die konsequente Kontrolle der Grenzen, der Abschluß von Staatsverträgen und die Pflege guter Beziehungen mit dem Ausland, die Restrukturierung der Landwirtschaft, der Verwaltung und der Industrie sowie schließlich die Sanierung und Renovierung der Betriebe, die überwiegend im Interesse des sowjetischen Militärapparats gearbeitet haben.
Es stehen uns also sehr viele Probleme bevor, und obwohl man weiß, wie die Marktwirtschaft normalerweise funktionieren soll, muß Estland den Weg dorthin erst noch finden. Und last but not least: Die jahrzehntelang im Bann des kommunistischen Regimes gefesselte Eigeninitiative muß erst richtig entfesselt werden.

Das künftige Europa versteht sich als einen Konsens zwischen Offenheit und Geschlossenheit, zwischen Variabilität und Stabilität. Ein Blick auf die heutige Welt genügt, um zu verstehen, wie eng diese zwei Elemente verflochten sind. Einerseits zeigt sich täglich das Streben nach Integration, andererseits blüht das nationale Selbstbewußtsein auf. Obwohl das zukünftige Europa eine Einheit sein wird, innerhalb derer wir letztlich alle Minderheiten sind, muß es auch das Streben der kleineren Völker nach eigener Identität akzeptieren. Die Esten wollen ihre Identität im zukünftigen Europa nicht verlieren. Es gibt zwar kleine und große Völker, es gibt aber keine kleinen oder großen Kulturen.

DIE AUTOREN

António d'Oliveira Pinto da França,
Botschafter; geb. 1935; Studium der Rechtswissenschaften an der Universität Lissabon; 1961 Eintritt in den Diplomatischen Dienst; 1969-1973 Mitglied der portugiesischen Delegation bei der NATO; 1974-1976 Generalkonsul in Rio de Janeiro; 1977-1979 Botschafter in Bissau; 1980-1982 Vizepräsident des Instituts für wirtschaftliche Zusammenarbeit in Lissabon; 1983-1987 Botschafter in Luanda; 1988-1990 Botschafter für besondere Aufgaben im Außenministerium; seit 1990 Botschafter Portugals in der Bundesrepublik Deutschland.

Kai Helenius,
Botschafter; geb. 1931; Diplomingenieur der Technischen Universität Helsinki; 1964-1967 Handelsrat an der finnischen Botschaft in Peking; 1967-1977 Leiter des finnischen Außenhandelsbüros in Frankfurt a.M., ab 1973 zugleich Generalkonsul; 1977-1982 Botschafter in Saudi-Arabien; 1983-1990 leitende Tätigkeiten im Außenministerium, ab 1987 als Stellvertretender Staatssekretär zuständig für Entwicklungspolitik, zugleich Vorstandsvorsitzender der Entwicklungsfinanzierungsgesellschaft FINNFUND; seit 1990 Botschafter Finnlands in der Bundesrepublik Deutschland.

Dr. Onur Öymen,
Botschafter; geb. 1940; Studium der Politischen Wissenschaft an der Universität Ankara und Promotion über Verteidigungspolitik; 1964 Eintritt in den Dienst des Außenministeriums; 1968-1972 Mitglied der türkischen Delegation im Europarat; 1974-1978 Botschaftsrat in Nikosia; 1978-1980 Persönlicher Berater des Außenministers; 1980-1984 Botschaftsrat in Prag und Madrid; 1985-1988 Leiter der Politischen Planungsabteilung im Außenministerium; 1988-1990 Botschafter in Kopenhagen; seit 1990 Botschafter der Türkei in der Bundesrepublik Deutschland.

Dr. Gábor Erdödy,
Botschafter; geb. 1951; Studium der Geschichte und der Germanistik in Budapest; seit 1975 Universitätsdozent mit dem Schwerpunkt "Deutsche und

ungarische Geschichte des 19. Jahrhunderts"; seit 1980 Sekretär bei der Österreichisch-Ungarischen Historischen Kommission; seit 1988 Referent für deutschsprachige Gebiete bei der Internationalen Kommission MDF; ab 1990 Gesandter und seit September 1992 Botschafter Ungarns in der Bundesrepublik Deutschland.

Marcello Guidi,
Botschafter; geb. 1928; Studium der Rechtswissenschaften an der Universität Rom; 1954 Eintritt in den Diplomatischen Dienst; 1961-67 Tätigkeiten an den italienischen Botschaften in Washington und Tripolis; 1968-1970 Botschaftsrat in Den Haag; 1970-1975 leitende Tätigkeiten in Außenministerium; 1976-78 Botschafter in Addis Abeba; 1979-1983 Chef des Diplomatischen Protokolls; 1984-1985 Botschafter in Tokyo; 1986-1988 Delegierter Generalsekretär bei der NATO in Brüssel; 1989-1992 Botschafter Italiens in der Bundesrepublik Deutschland.

Dr. Stoyan Stalev,
Botschafter; geb. 1952; Studium der Rechtswissenschaften; 1977-1990 Rechtsanwalt in Sofia sowie Wissenschaftlicher Mitarbeiter und Dozent der Bulgarischen Akademie der Wissenschaften; weitere Studienaufenthalte in den USA, den Niederlanden, Österreich und Deutschland; mehrere Buchveröffentlichungen über das Seehandelsrecht; 1990/91 Berater für Rechtsfragen des Präsidenten der Republik; seit 1991 Botschafter Bulgariens in der Bundesrepublik Deutschland.

Dr. Radu Comşa,
Botschafter; geb. 1925; Studium der Chemie in Bukarest; 1950-1964 im Dienst des Außenministeriums als I. Botschaftssekretär bzw. Botschaftsrat in Belgrad, Athen und Tokyo; 1964-1974 Tätigkeit als Chemieingenieur; 1972 Promotion in Wirtschaftswissenschaften; 1974-1985 Mitglied der Staatlichen Planungskommission (Abteilung Chemie); seit 1990 Botschafter Rumäniens in der Bundesrepublik Deutschland.

Fernando Perpiñá-Robert,
Botschafter; geb. 1937; Studium der Jurisprudenz in Barcelona; 1965 Eintritt in den Auswärtigen Dienst; 1968-1972 Konsul in München und Olympiaattaché; 1972-1976 Konsul in New York; 1977 im Range eines Botschaftsrats Stellvertretender Technischer Generalsekretär im Außenministerium; 1978-1981

Generalkonsul in Boston; 1982 Gesandter in Bonn; 1983-1985 im Range eines außerordentlichen Botschafters Technischer Generalsekretär im Außenministerium; 1985 Ernennung zum Staatssekretär; 1987-1991 Generalsekretär für Auswärtige Politik; seit 1991 Botschafter Spaniens in der Bundesrepublik Deutschland.

Alexandre Zafiriou,
Botschafter; geb. 1934; Studium der Jurisprudenz in Athen; 1960 Eintritt in den Auswärtigen Dienst; 1965-1972 Tätigkeit an den Botschaften in Teheran, Ankara, Bern und Nikosia; 1973 Generalkonsul in München; 1974-1979 Mitglied der Ständigen Vertretung bei der NATO; 1979-1982 "European Correspondent" für Europäische Politische Zusammenarbeit im Außenministerium; 1982-1984 Stellvertretender Ständiger Vertreter bei der EG in Brüssel, 1984-1986 Ständiger Vertreter; 1986-1989 Referatsleiter im Außenministerium; 1989-1990 Leiter der Abteilung für die Europäische Gemeinschaft; 1990-1992 Botschafter Griechenlands in der Bundesrepublik Deutschland.

Pádraig Murphy,
Botschafter; geb. 1940; Studium in Galway und Cork; 1966 Eintritt in den Auswärtigen Dienst; 1974-1977 im Range eines Botschaftsrats in der EG-Abteilung des Außenministeriums; 1977 Botschaftsrat in Bonn; 1978-1981 Gesandter und Stellvertretender Ständiger Vertreter bei der Europäischen Gemeinschaft in Brüssel; 1981-1985 Botschafter in Moskau; 1985-1991 Politischer Direktor im Außenministerium; seit 1991 Botschafter Irlands in der Bundesrepublik Deutschland.

Tiit Matsulevits,
Botschafter; geb. 1958; Studium der Kommunikationswissenschaft, Publizistik und Philologie; 1982-1991 Dozent an der Universität Tartu; 1988-1991 Pressesprecher der Universität Tartu und Chefredakteur der Zeitschrift "Universität"; seit 1989 Vizepräsident der Akademischen Gesellschaft für deutschbaltische Kultur zu Tartu; seit 1991 Botschafter Estlands in der Bundesrepublik Deutschland.